Förordet

Denna bok är en fortsättning på Helgas story och andra komplikationer... För att få denna bok så bra som möjligt har jag fått hjälp med korrektur-läsningen, som jag är tacksam för. Jag har lagt in några fotografier, visserligen omgjorda till svart/ vitt eller i gråskala av Sofie. Bokens innehåll vad gäller både text och fotografierna är eget förutom den på Folkets Park för den har Sofie fotograferat. Ett tack till Text och Bildgruppen i Ludvika för all hjälp.

Ingela Johansson

Resan som ingen trodde på...

Ingela Johansson

Andra tider skådas...

Efter det att Bilmuséet stängt lite tidigare denna turistsäsong samlades några av kommunens herrar och damer runt bordet för att diskutera det uppkomna läget...

- Ja, ni vet varför vi är här så jag tänker inte dra ut på det hela..., började kommunchefen Salvador med att säga men kom av sig när fru Halldén avbröt honom.

- Ursäkta mig, jag har då rakt ingen aning varför du har blixtinkallat mig. Jag har inget med detta museum att göra, veteran-/ testfabrik-/ släktforskning på hjul...

- Visserligen är du kanske inte rätt man för det hela men vi måste få Sverigeresan mer rationell och strukturerad. Det vet ju alla som sitter här runt bordet att kommer det till att organisera något, då har du huvudet på rätta stället. Konstaterade herr Halldén som inte instämde med sin fru alla gånger.

- Är inte rutten gjord då? undrade en ung kommunpolitiker i kulturnämnden.

- Till en viss del, Håkan, till en viss del, förtydligande Salvador.

- Hur långt då, dristade Håkan sig till att fråga?

- De åker först till Träslottet i Arbrå sen fortsätter de mot Kiruna där de vänder och reser tillbaka till Grängesberg. Här försökte fru Halldén förklara för Håkan samtidigt som hon suckade en hel del.

- Varför detta suckande, undrade Håkan?

- Det är inte riktigt klart vid vilka ställen de ska stanna upp vid... började herr Halldén att säga.

- Just det och varför ska vi bry våra hjärnor med det? Jag trodde att det var Bergets bilmuseum sak att ordna, fortsatte Håkan sin utfrågning med.

Men här tog Salvador handen från munnen och släppte en liten bomb i rummet.

- Jag har fått ett brev från Polisen angående obduktionen som gjordes på liken vi hittade. Det är tydligen så att antal lik är fem, jag som hela tiden trodde det var fyra.

- Kan det inte vara så att ett låg i Travera? Vi undersökte aldrig den bilen... frågade Håkan.

- Det stämmer, vi drog bara upp den i dagen sen tog polisen hand om bilen, upplyste herr Halldén till Salvador.

- Vad har det med resan att göra? Det var väl ändå den vi skulle diskutera, kom det något argt och uppbragt ifrån fru Halldén.

- Nej, det var inte därför jag kallade er, fortsatte Salvador, för det är som Håkan säger Agnetas sak, men vi måste nog korta ned den. Det som står i obduktionsprotokollet är att herr och fru Hendenberg är identifierade, en av tvillingarna blev skjuten precis som modern och det andra liket som var en ung man, troligen i 17-19 års ålder, även han blev skjuten. Sen har vi den äldre mannen i 80-års åldern som låg i Travera, det finns inga tecken på våld eller att han blev skjuten, man tror snarare på en kraftig hjärtattack. Frågan är hur hamnade han i Travera och varför den fanns i gravkapellet? Efter det anförandet tog Salvador en längre paus.

- Men vad har vi med den historien att göra? kom det lite skarpt från fru Halldén.

- Lugna dig, det där tar polischefen hand om ska du se... försökte herr Halldén lite lätt.

- Polischefen, pyttsan, det är en för gammal historia för honom. Nej, ska vi få någon reda på den här historien får vi nog anlita någon eller några andra individer till det, fastslog fru Halldén.

- Jag har frågat den pensionerade polismästaren om han kunde titta på det hela och då tillsamman med några skärpta ungdomar. De får tillgång till alla papper som finns, dagböcker och andra papper för att få någon reda i historien, talade Salvor om för dem som var på mötet.

- Var det om det du ville informera oss om? undrade Håkan.

- Ja, kom det kort från Salvador och avslutade mötet.

Att kulturnämnden har haft ett möte visste inte de på Bergets bil-museum om utan man fortsatte att förbereda sig. Inför den stundan-de resan hade Agneta hyrt in en långtradare med två chaufförer. När de kom till Snickarens och skulle lasta in bilarna inklusive lådbil-arna hände det sig att en av dem råkade plocka in Bobby. Bobby som var Pumas favorit sovplats och inte alls skulle vara med på någon resa, i alla fall inte någon lång sådan. Men man fortsatte att glad i hågen plocka in banan och planscherna till de andra bilarna, Helga, Hugo, Adam och Berta, som skulle vara med på resan. När de sen var klara för avfärd höjde Agneta och Mirjam rösten i en lätt, oroligt frågande ton…

- Var är Puma?

- Puma? undrade en av chaufförerna lite förskräckt.

- Ja, den svarta katten och var är Bobby? undrade Mirjam.

- Bobby? vem är det undrade samme chaufför som tidigare.

- Den lilla röda sportbilen är Pumas sovplats. Har ni plockat in den får ni plocka ut den punkt och slut. Men var är Puma hon har väl inte slunkit in i långtradaren? undrade Agneta nervöst och började ropa PUMA, PUMA…

Mjau, mjau, mjau hördes det från långtradaren och när de tittade efter hittade man även Bobby.

- Hur har Puma hamnat där? Såg ni inte när hon slank in? und-rade Mirjam.

- Neej det tror jag inte att vi gjorde, i alla fall inte jag. sa chauf-fören nr 2.

- Okey, men i alla fall måste vi få ut Puma och Bobby för de ska inte med på turen, kom det mycket bestämt från Agneta.

I och med det började man att med lock och pock försöka att få ut Puma. Man lyckades med att få ut henne en gång, men den lilla damen klättrade snabbt tillbaka in i långtradaren. Man fortsatte att locka på Puma och den här gången hade Raud kommit tillskyndande. Raud höll i Puman ordentligt och chaufförerna fick rappa på för att få ut Bobby och stänga luckan. När Puma såg att Bobby var ute och inte skulle ut på någon lång tur lugnade hon ner sig. Mirjam tog Bobby och Puma med sig in i Verkstan där de brukade vara och lämnade de andra att sköta resans avfärd. Chaufförerna som ska köra långtradaren kanske vi för enkelheten skull ska presentera: chaufför nr 1 är Båstad och chaufför nr 2 är Tango. Varför de har dessa smeknamn kanske vi får förklarat längre fram? Kanske... Man skulle nog tro att åt vilket håll färden skulle styras vore spikat, men det var den inte av någon konstig anledning. Det enda chaufförerna visste var att vändplatsen var Kiruna sen skulle det köras nedåt igen men vilken väg? Inlandet eller Kustvägen?

- Om vi, Tango och jag, får fråga vart vi ska åt för håll i den första etappen vore vi något tacksamma? frågade Båstad något uppgivet till Agneta.

- Oh, förlåt det är klart ni vill veta det. Jo, jag har talat med dem på Träslottet i Arbrå och de är införstådda med att vi kommer och att de avslutar säsongen för i år med bilutställningen och lådbilsrally.

- Ha, bygga ett träslott vilken idé, alltså, människan måste haft någon skruv lös, kom det lite retsamt från Tango.

- Hm, du ska nog inte uttala dig så slarvigt om något du inte vet något om, kommenterade Båstad med, och fortsatte sedan med en liten föreläsning om Willy Maria Lundberg, konsumentjournalistikens "Grand old lady". Damen som inte bara angrep dåliga produkter utan uppskattade och gladde sig åt de som var bra. Hennes Träslott blev ett kvalitetshus som inspirerade andra.

- När tog du reda på det undrade? undrade Agneta.

- Under min semester förra året besökte jag och familjen Träslottet under några dagar, upplyste han i sin tur till Agneta.

- Det var inte dåligt men vi är väl framme snart eller vad säger du, Båstad? frågade Benneth som lyssnat till det hela från bilen.

- Jo om en ca tio minuter lär vi se Träslottet.

Namnproblem

I långtradaren så kunde man känna en pust av lättnad.

- Skönt att få komma ut i luften och känna marken under hjulen igen, tyckte Helga.

- Men hör ni, hur ska vi titulera lådbilarna? Det är någonting som jag har funderat på länge. Om vi skulle ta och namnge dem. Vad säger ni? undrade Berta.

- Har du några namnförslag då, Berta lilla, undrade Adam lite nonchalant.

- Vänta nu, sakta i backarna har inte vi något att säga till om, protesterade den blå bilen.

- Det håller jag med om, varför ska ni andra bilar sätta namn på oss lådbilar? sa den gula bilen.

- För att det brukar vara de vuxnas sak att göra och föräldrarnas, poängterade Adam något högdraget.

Men här kom Hugo in med en invändning.

- Då borde det vara Folkes sak att göra det då, man tog honom som förebild till lådbilarna och han finns inte längre kvar. Kan man inte göra någon sorts mellanting? Helga, hjälp mig här är du snäll… fortsatte Hugo vänd till Helga.

- Jaha, är det jag som ska vara problemlösaren nu då. Ni kan ju börja med att höra om lådbilarna har några förslag på gång, tycker ni inte det, undrade Helga.

- Det är i alla fall en början, Adam och Berta ni tar den gula och blå. Helga och jag tar den röda och gröna. Vi får konferera och upplysa varandra om vad vi kommer fram till. Ett bra förslag du kom med Berta, fortsatte Hugo att säga.

- Visst, visst. Men höra vad de små valparna tycker är det inte att gå lite väl långt? kom det protesterande från Adam.

- De har hört oss diskutera. Det minsta vi kan göra är att fråga om de har några förslag, sa Berta med en kraftfullare stämma.

- Adam och Berta nu ska ni inte börja bråka. Ni ska ställa frågan till valparna, för gör inte ni det får väl Helga och jag göra det. Tala om att Hugo ställde det lite på ett spett för Adam.

- Vi får väl göra det då, men Berta det är jag som ställer frågan, svarade Adam.

- Hum, hum, kom det från Helga.

- Vad är det Helga? frågade Hugo.

- Eftersom det var Bertas idé borde det väl vara hon som frågar, tycker inte du det Hugo..?

- Jo, det tycker jag men vi ska inte lägga oss i deras dilemma. De får väl reda ut saker och ting lite själva. Vi har våra valpar att se till, Helga, svarade Hugo.

För att bringa lite reda i den stora namnfrågan delar vi upp bataljerna, om vi nu kan kalla det för bataljer. I den ena delen av långtradaren gick det ändå ganska lugnt tillväga men i den andra, oj, oj.

- Adam, du hörde vad Hugo sa, så frågan till er lådbilar blir vilka namn är det ni vill ha? fortsatte Berta, men hon var lite rädd för att Adam skulle avbryta henne.

- Stopp och belägg här, det är min sak att fråga. Jag struntar i vad Hugo sa. I den här delen av långtradaren bestämmer jag, kom det lite snäsigt från Adam.

- Jaså, jag trodde det annars var chaufförerna som bestämde över bilen, hördes det från den blå bilen.

- Varför måste ni stora bilar bestämma vad vi ska heta. Det är orättvist tycker jag eller hur Bosse? kom det från den gula bilen.

- Berta! Har du gett någon av bilarna namnet Bosse? kom det lite argt ifrån Adam.

- Nej, varför skulle jag göra det? undrade Berta försynt samtidigt som hon skrattade lite för sig själv. De två valparna stod ju alldeles bredvid henne. Berta hade hört vad bilarna kallade sig själva, Anna och Bosse.

- Den blå bilen får heta … hm få se nu, funderade Adam.

- Om du inte kommer på något kan du fråga valparna, tyckte Berta.

- Ja, gör det, precis som Helga sa, kunde Bosse bara inte låta bli att förtydliga för Adam.

- Tyst med dig, pojk. Jag tänker på något bra namn, försvarade sig Adam med, fast han visste å andra sidan att han dessvärre inte hade något på lut.

- Att gubbar ska vara så trångsynta ibland. Den blå bilen heter Bosse och jag som är gul heter Anna. Så nu är namnfrågan löst och allt är frid och fröjd, svarade Anna lite hurtigt och glatt.

- För mig låter det perfekt och helt okey. Vad säger du Adam? frågade Berta.

- Det låter gammalt och alldeles för svenskt. Du får tänka på att man är en berest herre så lite snyggare vill jag ha, svarade Adam.

- Men namnen är ju inte till dig, Adam, de är till lådbilarna. Tycker de om sina namn även om de är gamla och väldigt svenska, varför kan inte de få ha dem då? försökte Berta lite desperat framhålla för Adam.

- Ja, jo det ska väl inte ligga något hinder för det i och för sig, kommenterade Adam och tänkte i sitt stilla sinne. Varför hade man inte frågat bilarna direkt?

Det var ju det som de andra hade sagt, men bara av den anledningen måste Adam driva fram sin egen linje. Det han ville visa för Berta var att han är en ledare. Men det misslyckades han totalt med och för det kände han sig som en misslyckad knöl. Jaha, det var den ena bataljen…

- Okey, Helga ska vi ta itu med vårt lilla namnproblem? frågade Hugo.

- Lådbilarna hör upp nu. Vi har en fråga till er…

- Vi vet, vi vet…, svarade den röda bilen i en glad ton.

- Jo, jo den har vi diskuterat fram och tillbaka, inflikade den gröna bilen.

- Vad har ni kommit fram till då? undrade Helga.

- Jo med tanke på min röda färg så känner jag väldigt mycket för Sissi. Vad tycker ni? undrade den röda bilen med andan i halsen.

- Låter trevligt tycker i alla fall jag eller vad säger du, Hugo? undrade Helga.

- Vill den lilla damen ha det namnet så är det okey för mig, svarade Hugo. Men hur är det med den gröna bilen då?

- Jag vet inte, men kanske något kort och lite Odd, sa den lite försiktigt till Hugo.

- Vad sägs om Theo eller Tom eller Toddy eller bara Todd? undrade Helga.

- Ta Todd snälla ni, sa Sissi. Hon tyckte att det namnet skulle passa den gröna bilen väldigt bra.

- Vad säger du Helga? Todd blir väl ett fint namn. Vad säger du om det namnet? frågade Hugo den gröna bilen.

- Det låter helt okey, för mig, svarade han nöjt.

- Om Todd är okey för honom, så är det okey för mig, sa Helga.

Efter det att lådbilarna fått sina namn tog Adam kontakt med Hugo där han förklarade eländet. Men tyvärr så vände han sig till fel person i den frågan.

- Varför gjorde du inte som vi kom överens om då? Frågade bilarna, då hade det inte blivit några problem eller sura miner. Du hade till och med stigit i graderna hos Berta, svarade Hugo.

- Jag vet, jag vet. Men ända sedan Vegas och Madame Louise kom in i muséet har hon blivit lite annorlunda, beklagade sig Adam.

- Ja, ja. Jag vet att Berta har börjat tänka mera modernt och så har hon fått mera självförtroende. Berta är inte längre lika beroende av dig men det är väl bra, tyckte Hugo.

- Nej, det är det inte alls. Förr frågade hon mig om det mesta. Nu frågar hon mig aldrig om någonting, hon bara småpratar med valparna, svarade Adam lite spefullt.

- Ha, Ha. Adam är svartsjuk, skrattade Hugo.

- Äsch dig kan man inte prata med om några hjärtefrågor, svarade Adam lite argt.

Ett liknande samtal hade Helga och Berta men det var mera om nästa rally som skulle gå av stapel vid Träslottet.

- Vem av bilarna vinner denna gång tror du? frågade Berta.

- Det vet jag inte. Vet du hur många race det blir då?

- Jag har hört att det viskas om att det bara blir ett, svarade Berta.

- Hm, det är väl för att skolorna inte har kunnat förbereda ungarna på att det blir ett lådbilsrally, kommenterade Helga.

- Men vi får väl se hur Anna och Bosse klarar sig, tyckte Berta.

- Det gäller väl även Sissi och Todd, snörpte Helga av.

- Nej, nu ska vi inte bli osams det räcker med att vara det med, Adam, suckade Berta.

- Men hur kommer det sig att ni har blivit osams då? Gjorde ni inte som vi kom överens om? undrade Helga.

- Nej, och det var det som var felet. Adam skulle prompt styra till det istället för att låta "valparna" få ett ord med i laget. Det var rent ut sagt tröttsamt och pinsamt.

- Men ni kom fram till Anna och Bosse till slut i alla fall..., undrade Helga.

- Ja, men det var inte Adams förtjänst, bilarna hade det redan klart för sig. Något jag visste om för så mycket har jag lyssnat till dem för att förstå det, kom det lite snyftande från Berta.

- Såja Berta lilla. Adam är en stor lurk ibland det vet jag men du får inte låta honom styra dig. Du ska se att Adam kände sig ganska misslyckad när det visade sig att lådbilarna och vi andra hade rätt, sa Helga tröstande till Berta.

Träslottet i Arbrå

Uppe vid Träslottet började förberedelserna för att ta emot de fyra veteranbilarna som ingick i utställningen. Ute på parkeringen jämnade man planen där tävlingen senare skulle gå av stapeln. Det var lite oroligt i luften och frågan var om de tunga molnen som svävade över Träslottet skulle hålla sig i några timmar till. Det kom en del nyfikna ortsbor som undrade vad som nu skulle bli av? Några i gruppen av flickor och pojkar funderade på att ställa upp i lådbilstävlingen men, nja, det var ju det att någon vuxen måste skriva på och det var bråttom. Efter ett tag sa en av grabbarna som hade samlats kring lådbilarna tillsammans med tjejerna som även de gärna skulle vilja...

- Äsch, jag bryr mig inte, skulle morsan skriva på är det jättebra. Det är väl ingen idé att fundera hit eller dit, ta en lapp och se istället..., sa en av grabbarna som inte tyckte att det var nått att fundera över.

- Pelle, törs jag det, tänk om farsan bestämt något annat, undrade en nervös tjej.

- Men tänk om han bestämt sig för att se tävlingen och utställningen, jag håller med Pelle, ta en lapp och se, sa en annan tjej som verkade lite tuff.

16

- Vem kan ha något emot att vi kör en lådbilstävling? Inte mina föräldrar i alla fall, kläckte en liten kille ur sig som heter Bob.

Den lilla gruppen fortsatte att dividera hit och dit, men de och några andra barn som stod i närheten tog ändå var sin anmälningslapp. Efter att de tagit lappen sprang de åt olika håll för att leta upp sina föräldrar och tala med dem. Några fanns redan på plats för att se utställningen och Träslottet. Pelle och Bob fick tag på sina föräldrar ganska snabbt och kom springande med anmälningslappen viftandes till Agneta.

- Vi får köra, vi får köra, snälla, får vi vara med, skrek Pelle och Bob för full hals.

- Då behöver vi två namn till, svarade Agneta, vi har fullt för en runda. Men kan ni vänta en stund på besked? undrade Agneta.

- Jaa, kom det från Pelle och Bob.

De behövde inte vänta särskilt länge för fler och fler började flockas runt Agneta för att anmäla sina barn till lådbilsrallyt.

- Benneth, ropade Agneta, kan du komma hit?

- Ja, vad är det?

- Ta med alla papper om lådbilstävlingen, fick Benneth till svar.

När han kom med pappren började de att fundera över hur de skulle göra. De nya anmälningarna var nämligen sju stycken. Att det blev så många hade de aldrig trott. Som tur var visade det sig att några hade gjort en dubblettanmälan men ändå.

- Den första rundan har vi bestämt att Anna, Göran, Marie och Trond kör. Sen i den andra har vi två grabbar Pelle och Bob men har vi två tjejer? frågade Agneta till Benneth och Tango.

- Här har vi Stella och Freja, skulle inte de kunna köra med Pelle och Bob, vad säger ni? undrade Tango.

- Det skulle fungera. Hur gamla är de? frågade Benneth.

- Pelle är 12, Bob är 10, Stella är 11 och Freja är 10, räknade Tango upp.

- Det ser ok ut i den första ronden pendlar åren lika, sa Agneta.

- Är det några som blir över? undrade Benneth.

- Det är Helmer som är 8 men han kan få köra ett litet ärevarv, eller vad tycker ni? frågade Agneta.

- Men har vi inte åldersgräns på 10 år? kom det lite protesterade från Benneth.

- Benneth, det är väl själva tävlingen det .., började Tango men slutade när han fick en liten knuff från Båstad.

- Är det inte bättre att vi återkommer om 2 år? tyckte Båstad.

Efter det fanns inte någon tid för någon närmare djuplodad diskussion utan det var dags att göra iordning för tävlingen. En tävling som kom att köras i tre rundor och slutade med att Pelle tog hem det första priset, Bob det andra och det tredje gick till Anna. Precis som i Bergets Bilmuseum fortsatte man sedan till utställningen, vilket var tur för himlens dammluckor öppnade sig, ordentligt. Det var många som sprang till bodarna där utställningen fanns, för att ta skydd undan hällregnet.

När man sökte skydd från det häftiga regnet kom en reporter fram till Agneta för att ställa några frågor.

- Hur kom det sig att ni valde att stanna vid Träslottet?

- Jag har varit här tidigare och tyckte att stället lämpade sig för vår utställning och tävling, svarade Agneta.

- Varför just lådbilar?

- Varför inte…? replikerade Agneta.

- Just det, varför inte? insköt Benneth som precis hade kommit fram till dem.

- Okey, vi stryker den frågan då, men ärligt talat hur kommer det sig att ni har en tävling före utställningen?

- Det tror jag nog säger sig självt. De som är här nu vid utställningen, har i alla fall de flesta kommit för att se lådbilstävlingen. Sen när man ändå är här kommer man med vid den guidade utställningen. Det är ren marknadsföring, om reportern vill veta...

- Efter Träslottet vart ska ni då?

- Det blir ett stopp i Ljusdal och i Ånge. Vi hade tänkt åka ända till Kiruna men det ser ut som vi får lov att vända i Sundsvall, förklarade Agneta.

- Denna utställning som ni kör runt med. Är det bara för i år eller kommer ni att köra runt med fler veteranutställningar med lådbilstävlingar som dragplåster?

- Det är för tidigt att säga och det åligger inte mig att besluta om det. Men man kan aldrig så noga veta … sa Agneta och lämnade reportern åt sitt öde.

Utredningen...?

När den pensionerade polismästaren, Kalle, åkte ut till Snickarens för att träffa sin lilla grupp väntade de på honom. Där var redan Stig, Lilian och Kabish som väntade med spänning för att få sätta tänderna i detta spännande projekt.

- Det var trevligt att ni kunde ställa upp, började Kalle lite trevande, jag vet inte riktigt vad Salvador förväntar sig. Men det ni måste göra är att plugga igenom dagböckerna och andra papper.

- Hur mycket är det? undrade Stig.

- Mycket, men innan vi delar upp det så presenterar vi oss för varandra, tycker ni inte det? fortsatte polismästaren.

- Okey, Stig var det här.

- Lilian, kallas av vissa för Lillan, men den som säger det kommer att åka på en propp, bara så ni vet det.

- Ähum, förlåt visste inte att det var känsligt. De flesta kallar mig bara Kabish, det är ok för mig.

- Jag antar att ni inte vill säga polismästarn hela tiden, så Kalle blir bra. Där vi står nu har det funnits ett gravkapell ca fem meter under oss. Går vi sen snett upp till den gruvöppning som ligger däruppe, har det funnits en gång därifrån och hit. De frågor vi ska knäcka är, hur kunde det finnas fem lik i gravkapellet och vem dödade dem? Vem eller vilka stängde gravöppninen med stenen?

- Blir inte det lite svårt efter så många år? undrade Stig.

- Har det inte gjorts någon obduktion? frågade Lilian.

- Jag håller med dig Stig om att det blir svårt, svarade Kalle. Ni får med er obduktionsrapporten, men... jag kan väl dra den lite enkelt. Snickaren dog av sviterna efter en svår lunginflammation, det finns dokumenterat. Frun har ett skotthål som visar på att hon blev skjuten på nära håll. Det gäller även för de två andra, en man på 40-45 år och en ung grabb på 17-19 år. De hittade även en äldre man i Travera, hur han dog är man inte hundra på, men troligen en svår hjärtattack. Där blir det väldigt konstigt, för om han hade en svår hjärtattack, hur kom han då att ligga i Travera? Vilka såg till att Travera hamnade i gravkapellet och hur?

- Vet man vem den äldre mannen är då? undrade Lilian.

- Nej, inte än. Men dagböckerna kanske kan ge oss en vägledning, sa Kalle. Han som var i 40 årsåldern är troligen en av tvillingarna. Jag gissar att det är Adolphe för han dog vid den här tiden. Frun sörjde honom och gifte senare om sig, men bodde kvar på Berget. Hon skulle väl knappast ha gift om sig om Adolphe levde eller?

- Vart tog den andra vägen? undrade Kabish.

- Vet inte, men båda försvann bara, gick upp i rök, puts veck. Samtidigt försvann en del viktiga papper, så jag vet inte vad som hände. men vi har något att bita i, fortsatte Kalle. Stig och Lilian ni får läsa dagböckerna. Kabish, du tar hand om de andra papperen. Ni kommer att få med er allt material, vi har kopierat upp så det räcker till alla.

- Var ska vi träffas nästa gång? undrade Kabish.

- I kommunhuset, javisst, ni måste lämna era telefonnummer eller mobilnummer innan ni går.

- Okey, sa de i korus.

Efter den första träffen började de att fördjupa sig i sina böcker och gamla papper. Stig började med att beklaga sig över språket och stilen, de var svåra att tyda. Lilian kände en hemlig önskan och nyfikenhet inför att få tränga närmare de personer som trampat på Bergets vägar. Hon har hört sin gammelmormor berätta historier om en tid, då Berget hade en mörk historia. Kanske skulle hon nu få en del svar på sina frågor.

Kabish tog sig an de mer finansiella och juridiska papperen. Papper som köpehandlingar, lagfarter, testamenten och dylika saker. Något som den juridikstuderande Kabish, kastade sig över och började läsa med stor iver. Man skulle tro att de unga individerna kände en börda, men nej, de var ganska entusiastiska. Att få vara med och rota fram sanningen över vad som egentligen hade hänt. Kanske man skulle få veta var den andra brodern hade tagit vägen? Kanske gåtan, vart Erich Dahl hade tagit vägen, skulle få sin lösning. Vem vet vad som gömmer sig i dagböckernas hemligheter?

Dagboksredovisningen…

När gruppen träffades i kommunhuset för att redovisa vad de har kommit fram till började Stig med att berätta…

- Den första dagboken visade sig tillhöra Snickaren själv, där hade han skrivit in sitt namn Sivert Henden. Efter några år träffade han en ung lärarinna, Eivor Berg. Eivor hade tagit sin mormors efternamn som ogift, efter det att hon bröt med familjen Dahl. När Sivert och Eivor gifte sig slog man ihop namnen till Hendenberg. De flyttade ganska mycket visade det sig, från Lund till Örebro, Kopparberg, Falun och sen till ett litet hemman i en vrå några mil från Berget. Sivert skriver i sin dagbok några rader om de tankar han har om familjen Dahl, speciellt Erich Dahl…

"De har en oförmåga att tänka ut vad vettigt är, men tar för givet att grovgörat det får andra göra, utan större lön. Någon större tankemöda stör inte herr Erich Dahl, bara sitt rykte han månar om. Det där lånet från kusinen hans jag tog, den kommer att bli min död en dag och kanske att familjen jag tar med tlll min grav. Varför skulle jag försöka rädda hans rykte? Eivor, min lykta och vän, varför lyssnade jag inte på dig? Du bönade och bad mig att lämna förslaget, din far gav, åt sitt öde. Låt det bero, du sa, kasta pappret på gödselhögen, det är inte mera värt.".

-Det är tydligt att det där förslaget som Erich kom med var de inte eniga om, avslutade Stig sin redovisning med.

- Han skrev inte vilka som han räddade undan? frågade Lilian.

- Inte i den dagboken jag läste i men han nämner en annan skrivbok han hade. Men vad som står där vet jag inte, sa Stig.

22

- Vänta, hittade de inte några dagböcker…, vad hette hon som hade gjort avskrifterna… Madelene, utropade Kabish.

- Jo, men vem har avskrifterna…? Kom det fundersamt från Lilian.

- Det borde jag ha men så långt har jag inte kommit än, tror jag i alla fall om inte Kabish har dem… avslutade Stig betänksam.

- Jag fick en hel del men har inte hunnit gå igenom allt. Har en "tenta" att göra imorgon så jag har prioriterat tiden för den, sorry, förklarade Kabish till de andra.

- Det är ok, men jag har börjat läsa i en av barnflickornas dagböcker, hon tog visst hand om Eivor och hennes syster Solveig men framförallt kommer det fram hur dåligt deras mor mådde, förklarade Lilian lite löst.

- Hurdå? Undrade både Stig och Kabish.

- Det verkar som att modern födde två tvillingpar men att hon bara fick behålla ett av dem. Jag vet inte om jag vill få reda på vad som hände med de stackars barnen, men utgår man från det barnflickorna skriver tror jag inte de överlevde… kom det lite tyst från Lilian.

- Ta det inte för hårt, Lillan, förlåt, Lilian… började Stig att säga i sina försök att trösta henne.

- Men det gör jag… efter vad jag kan förstå så födde hon dem alldeles för tidigt och man kunde inte rädda de två barnen. En son och en dotter, Tage och Maria, födda och döda samma dag, en vårdag i maj 1862. Frun blev aldrig sig lik efter den dagen… skriver en av barnflickorna. Lilian kunde inte låta bli att fälla en tår vid den tanken som sken igenom i dagböckerna och som hon inte nämnde till grabbarna, att det var därför frun tog sig själv av daga.

Kabish försökte bryta den nedstämdhet som smugit sig in med att förklara…

- Av alla papper som finns om Erich Dahl, så måste han ha varit något av en dubbelnatur. För utåt sett kunde han till och med uppfattas som en gentleman när han hjälpte folk med lån, men inom familjen var det stramare tyglar. En sak många förundrade sig över var att bara familjen bodde i det stora huset, tjänstefolket fick bo i ett annat. Det var bara vid fruns födslar som andra fick bo där.

- Men när de hade fester då? Vad gjorde de med gästerna då? undrade Stig.

- De var säkert inte långvariga, förutom den som Erich tog hand om, kontrade Kalle som kom in något sent.

- Var har du varit? Vi skulle träffas klockan tre det var vad du skrev i messet i alla fall, undrade Stig.

- Jag vet men det får vi ta en annan gång. Vi har fått tag på en dagbok som en av tvillingbrödernas fru har skrivit. Det var den som jag blev lite uppehållen av, det verkar som att de var vittnen till hela händelsen.

- Det är tur för oss att någon av dem skrev ner händelsen… tyckte Stig och det höll de andra med om.

- Kalle, ska vi koncentrera oss enbart på den boken eller ska vi fortsätta att läsa igenom de andra? undrade Kabish.

- Hm det kan ligga något i det, vi får fundera på det… men tillsvidare får ni läsa igenom materialet så får vi se om vi ska avgränsa oss till den dagboken. Det kan ju finnas uppgifter i de andra böckerna som kan vara en hjälp i sammanhanget, fortsatte Kalle med att säga men han var inte alltför hoppfull.

- Hur fick du tag på den? undrade Lilian som blivit nyfiken på dagbokens innehåll.

- Den skickades till mig per post tillsammans med ett brev. Tydligen så hade hon fått veta om vår efterforskning för som damen skriver "tror hon att den kan ge oss en del svar".

- Vadå för svar…? Kom det lite undrande från Stig.

- Det är det vi får leta efter, hajar du nu då, Knutte.

- Lilian och Stig bråka inte, jag orkar inte med det idag, skyndade sig Kabish med att säga.

- Vadå för bråk? Ville nu Kalle veta innan det hela kunde urarta.

- Asch, det är kärleksgnabb mellan de där två men ibland blir det bara för mycket.

- Det är livet, Kabish, om du ville titta upp från den där fyrkanten skulle du upptäcka det…, kom det förtrytsamt från Stig som inte var någon vän av fyrkanten i någon högre grad.

- Grabbar vi har inte tid med det här om vi ska komma någonvart med uppgiften. Skyndade sig Lilian att säga i en förhoppning om att få tyst på tupparna.

- Jag tror ni får gå hem och läsa på lite mer så ses vi i nästa vecka kl. 15.00 på biblioteket, är det okey för alla? Kom det frågande från Kalle.

- Det är ok, sa Kabish och de andra instämde.

Den roliga stenen

I denna berättelse ligger stenen efter Träslottet i Arbrå. I verkligheten så står den en bit innan man kommer fram till Alfta.

Resan mot lunchen...

Efter det att utredningsgruppen hade kommit överens om när de skulle träffas igen, ringde Kalle upp Agneta. Han ringde upp i akt och mening för att lämna en redogörelse för hur långt de kommit i den så kallade "brottsundersökningen".

- Hur långt har ni kommit då? undrade Agneta.

- Inte så långt, är jag rädd, men vi har fått tag på en dagbok som kanske sitter inne med hela lösningen.

- Var har ni fått tag på den?

- Den kom med posten tillsammans med ett brev.

- Vad står det i brevet?

- Att de fick tag på dagboken när de köpte en låda med gamla böcker på en loppmarknad. De hade tydligen anordnat en sådan för att bli av med grejer från ett dödsbo. Dagböckerna hamnade hos en antikvarie som, efter att ha läst dem, sände dem till mig. Antikvarien hade då fått reda på om vår utredning av ett gammalt mord i Snickarens gravkapell.

- Hm, låter intressant. Kan du sända över en kopia till mig?

- Ska bli, har skannat av böckerna så du kommer att få en hel del PDF-filer att läsa. Hoppas du kan hitta någonting där.

- Vi får väl se, men nu vinkar grabbarna på mig så nu bär det av mot Ljusdal. Hej då, så länge.

När bilarna skulle till att åka ifrån Arbrå på sin väg mot Ljusdal, kom en av hotellets receptionister springande och i sin andnöd fick han fram ett meddelande.

- Ni måste besöka den argentinska restaurangen, det kom ett telegram precis nu från en som heter George, pustade han fram.

- George? Är det någon som vet vem det är? undrade Agneta.

Till mångas förvåning kom det fram att Tango visste vem det var, eftersom det var hans morfar.

- Det enda jag vet är att en släkting har öppnat en Argentinsk restaurang här någonstans... Inte för att jag har träffat honom, men min mor har talat om tiden i Argentina. Den blev visserligen inte lång men det var där hon föddes och hade sina tidiga år tillsammans med familjen. Plötsligt en dag blev morsan och hennes bror tvugna att lämna landet, för avfärd till Stockholm. Det var lite kymigt att föräldrarna inte kunde hänga med...

- Varför kunde de inte det? undrade Båstad.

- Rose väntade barn och skulle till att föda vilken dag som helst och det var väl inte så bra om det blev i planet. I alla fall så stannade George kvar med henne någonstans, vet inte var, men kanske hos hennes föräldrar. George hade avtalat med sin far att han skulle ta hand om oss, ha, ha, det gjorde han väl på sätt och vis.

- Vadå på sätt och vis? undrade Benneth.

- Tja han behöll brodern som fick bo hos honom, men systern fick bo hos hans systers familj. Det var ju också en lösning men jag tror inte att George hade tänkt sig den, men nu är jag fördömt hungrig så vi kör mot restaurangen, fortsatte Tango att säga lite generat.

- Okey då, mot den argentinska restaurangen..., hörde man när Båstad basunerade ut det hela, lite skämtsamt. Eftersom han ville lätta upp den lite dystrare stämningen som börjat smyga sig in i sällskapet.

- Är allt packat och klart då? undrade Benneth.

- Jajamän, kom det från Tango, jag har tagit en titt och det ser bra ut. Både bilar, skyltar och lådbilar står där de ska stå.

- Den kärran vi har är lite extra känslig för snedbelastningar så ta en runda till kan du göra det Tango, kom det lite fundersamt från Båstad. Man kan aldrig så noga veta med en massa ungar springandes kring kärran.

- Tror du att någon skulle springa in i kärran, det är ju inte klokt. Vem i all världen vill vara i lastutrymmet? undrade en förvånad Agneta. Nej, nu kör vi.

Så Tango och Båstad äntrade sig upp i lastbilen medan Agneta och Benneth följde efter i en hyrbil. Vägen från Arbrå gick till en början ganska lugnt till, efter ett tag stannade lastbilen då Båstad och Tango skulle byta plats.

- Det är något med kärran, du får säga vad du vill, men nu kollar jag lasten, nästan skrek Båstad eftersom det blåste bra där de hade stannat.

- Okey, gör det, för min del tar jag och kollar in den där roliga stenen på andra sidan vägen, skrek Tango tillbaka.

- Vad i all världen är det som händer? undrade Agneta.

- Kärrakrångel kanske? trodde Benneth.

Inne i lastutrymmet funderade man på var man var egentligen någonstans, man såg ju ingenting direkt. Men av den raka körningen kunde man dra den slutsatsen att man fortsatt på de inslagna vägen och då borde de åka förbi en plats som Folke hade pratat om där han släppt av Tysken och hans familj.

- Hugo, hörde du om den där stenen, tror du vi är där Folke lämnade av Tysken? frågade Helga sin vän.

- Kanske, han pratade om en stor sten som skulle markera vägen in till huset där de bodde det första året, tror jag det var. Om vägen är kvar vet jag inte, men kanske en stig eller nått.

- Men vad menade han med roliga stenen, undrade Berta, en sten kan väl inte vara mer än en sten.

- Om ingen har gjort någon åverkan och målat den, kom det lite tyst ifrån Adam som kände sig något stukad.

- Vi får väl höra vad chaufförerna säger om den, tyckte Hugo.

- Det är väl inget annat att göra eller… sa Helga.

- NEEJ, hördes det bestämt ifrån valparna som också ville ha ett ord med i laget.

Ups, det var ett rejält och kraftigt avslut från lådbilarna som fick sätta punkt för diskussionen om stenen. Men hur blir det nu? Är kärran felbelastad eller?

- Vad i all världen är det här? skrattade Båstad samtidigt som han försökte undvika en hunds ivriga slickande.

- Vadå? undrade Benneth när han steg ur bilen för att gå fram till Båstad.

- Ni får inte köra bort honom, ni får inte… hördes en ung stämma säga med gråten i halsen, ni får inte köra bort honom...

- Varför skulle jag göra det? Förresten så är det inte bara, hunden, vad den nu heter, som skulle köras iväg? fortsatte Båstad.

- Förlåt, Mika heter han och de tänker avliva honom, snyftade grabben.

- Vad heter du då? undrade Agneta som kommit fram till dem.

- Jakob.

- Men ni kan inte åka i lastutrymmet, så hur gör vi nu då? frågade Båstad till Jakob och kikade samtidigt på Agneta för att få ett svar.

- Jag antar att alla är hungriga så vi får väl fundera fram till restaurangen. Jakob och Mika kan väl sitta i hytten… eller vad säger du? frågade Agneta.

- Får vi det? undrade Jakob lite spänt.

- Det blir trångt men det är väl inte så långt kvar, det finns väl vatten och lite skorpor att knapra på där bak tror jag.

- Vart gick Tango? undrade Benneth.

- Han skulle kolla in den där stenen, förklarade Båstad och pekade på den, sen vet jag inte något mer.

När Tango kom fram till stenen gick han först runt den och lade sen märke till att det måste ha funnits en skogsväg där. En väg som ledde in i skogen alldeles innan den stora stenen. Kunde den ha legat där som en markering? I så fall för vad? Nu väcktes Tangos nyfikenhet och de andra verkade alltför upptagna. Så om han gjorde en liten upptäcktsfärd i skogen skulle de troligen inte märka nått. Men innan han gick skickade han för säkerhetsskull ett sms till Båstad. Ett sms som Båstad inte lade märke till eftersom mobilen låg inne i hytten.

På den stora stenens baksida hade någon ristat en liten karta som Tango nu studerade noga. En karta där någon ristat in en fyrkant, troligen ett hus och markerat ett kors på det. Den såg visserligen inte ut att vara gammal, men det vet man ju aldrig, det kan vara ett pojkstreck också. Nåja det får man inte reda på förrän man traskat dit, tänkte Tango, samtidigt som han tog ett kliv framåt. Schviss, och fällan som några grabbar hade gillrat gjorde sitt. Det resulterade i att Tango hängde i trädet med fötterna mot den klarblåa himmelen. När nu ändå Tango hängde där kröp de två skyldiga till fällan fram ur snåret…

- Den funkade, den funkade… skrek den ena av de två och började dansa runt trädet där Tango hängde.

- Vad skulle det här vara bra för? undrade Tango som tittade efter alla grejor som ramlat ur hans fickor.

- Vi bara testade om man kunde bygga en fälla där någon blev hängande upp och ner i ett träd exempelvis. Vi fick idén från en film och man kan ju aldrig så noga veta om man inte prövar. Farsan säger alltid att man måste pröva idéer och teorier för att se om de håller, kom det förnuftiga svaret från den andra grabben.

- Det låter visserligen logiskt, men nu vill jag ner och nåde er om jag får en repa, kom det argt ifrån Tango.

- Vi håller emot så mycket vi kan, lovade grabbarna.

- Men du måste lova att inte jaga oss, tillade den ena av grabbarna.

- Ok, men ni får hjälpa mig att leta efter mina grejor som har rasat ner.

Grabbarna hissade så ner Tango, när han väl kom ner hade lusten att undersöka saker och ting dunstat bort. Han tog emot sakerna som grabbarna hittat. Kollade igenom dem för att se om allt var där.

- Eftersom jag inte vet era föräldrars namn och har inte heller tid, så kan jag tyvärr inte informera de stackarna om detta äventyr. Vad jag kan se så finns det inte heller någon snickarbo...

Med det så började han att traska tillbaka till de andra. Där hade Agneta och Benneth precis åkt iväg för att beställa bord vid den Argentinska restaurangen "Rose". Båstad å sin sida tog med sig Jakob och Mika och satte sig i förarhytten i väntan på Tango. I hytten hittade Jakob mobilen som Båstad lämnat kvar, mobilen som Tango skickat sitt lilla meddelande till.

- Jaså, han ville sträcka på benen, ok men om han inte kommer inom fem minuter då åker vi. Är det okey för dig? frågade Båstad och tittade på Jakob.

- Men inte kan du lämna Tango så där, hur ska han då ta sig till Ljusdal? undrade Jakob.

- Jaså, här sitter ni i godan ro, kommenterade Tango när han såg att de satt i förarhytten. Vem är du förresten? frågade han till Jakob.

Båstad presenterade Jakob och Mika med förtydligande att de var våra fripassagerare fram till maten. Något som de alla såg fram emot då hungern verkligen började göra sig gällande. Tango å sin sida berättade om vad som hade hänt vid stenen. Men Tango började bli lite orolig när han tittade på hunden, den såg inte ut att må bra.

- Har Mika åksjuka eller..? frågade han undrande till Jakob.

- Vet inte, men morsan tog honom till veterinären flera gånger och igår så hörde jag att morsan och farsan diskuterade om att avliva Mika. Det var därför jag rymde med honom, kom det tystare från Jakob.

- Men om inte veterinären kan göra honom frisk inte skulle du väl vilja att Mika fick lida? undrade Tango.

- Kanske inte, men han är min bästa och enda vän, snyftade Jakob.

- Det vet nog dina föräldrar om, Jakob. Det kan inte ha varit något lätt beslut för dem heller, tror du inte det? frågade Båstad.

- Jo, för farsan brukade ha Mika till jakt förut, men det kan han inte längre, därför köpte han en till hund, Andor. Men morsan har alltid föredragit Mika framför Andor, skrek Jakob till lite desperat.

- Antar att du inte heller är så förtjust i Andor? frågade Tango.

- Nej.

- Vi kör förbi veterinären, sa Tango till Båstad, jag tror inte Mika har så långt kvar.

- Ok, till veterinären var det. Det ska bli bara jag vet var den butiken ligger? försökte Båstad att skämta till det hela med i denna sorgliga historia.

- Den ligger efter vägen innan vi åker in i Ljusdal, kom det från Jakob. Jag har varit med några gånger.

- Vi meddelar Agneta och Benneth bara.

De stannade framför huset där veterinären hade sin mottagning och Jakob blev till sig när han såg sin mammas välbekanta bil stå där utanför. Tango gick in med Jakob och Båstad bar på Mika, när veterinären såg dem komma sprang han emot dem.

- Kära nån då lägg Mika på bordet inne i undersökningsrummet på en gång. Han kommer att få två sprutor en lugnande och en insomnande.

- Får jag fråga vad som är fel?

- Cancer och njurarna.

- Oj, då finns det inte mycket att göra då?

- Vi har försökt att med medicinering skjuta upp det hela men det går bara ett tag, sen kommer man till detta beslut förr eller senare…

När Tango kom in i väntrummet med Jakob väntade en sköterska på honom.

- Jakob, vill du vara snäll och titta till den här valpen. För Tango förklarade hon att valpen kommit tillbaka på grund av att man upptäckt allergi i familjen.

- Men ni tar väl inte emot dem här? Det är väl till en kennel som man lämnar tillbaka...

- Vi har faktiskt en liten kennel alldeles här i närheten och de hade fått tillbaka denna gulliga lilla valp. När Jakobs mor fick reda på det undrade hon om vi inte skulle kunna låta dem få bekanta sig med varandra. Innan Jakobs mor tar valpen ville hon veta om han skulle godta den. Förklarade hon lite tystare för Tango.

- AHA.

- Hej, har ni sett till Jakob och Mika, frågade en jäktad och orolig kvinna. Vi har letat överallt och som en sista utväg åkte jag ut hit. Jag har varit vid raststället här bredvid och fått i mig lite kaffe…

- Det är ok, så du kan ta det lugnt. Jakob och Mika har fått lift hit av två lastbilschaufförer som körde hit dem. Mika har fått de två sprutorna och Jakob bekantar sig just nu med valpen, så allt har avlöpt så bra, bedyrade veterinärassistenten. Här kom Jakob springande med andan i halsen när han hörde sin mor…

- Morsan kan vi behålla Mika, kan vi, kan vi, snälla mamma? Kom det förväntansfullt från Jakob samtidigt som han sprang och hoppade runt dem.

- JAA, det kan vi, skrattade hon samtidigt som tårarna rann nerför hennes kinder.

- Vi hade tänkt avsluta besöket med en måltid i "Rose". Vill ni hänga med? frågade Båstad till Jakobs mor.

- Snälla, snälla det kan vi väl? Frågade Jakob med stora ögon på sin mor.

- Är det ok för er så gärna, ska bara skicka ett meddelande till min man.

Äntligen lite käk efter mycket om och men.

Den Argentinska restaurangen
"ROSE"

När Agneta och Benneth kom fram till restaurangen hade de precis blivit klara med dagens meny och buffé, vid serveringen. Genom glasdörrarna såg värden att de kom och gick dem till mötes samtidigt som han letade efter någon med sina bruna ögon.

- Tango, var är han?

- Tango och Båstad kommer senare, de var tvungna att åka förbi veterinären med en hund, förklarade Agneta lite kryptiskt.

- Jaså, ert bord har vi reserverat här inne i konferensrummet, om ni tror att de blir borta ett tag kanske ni vill ha något att äta, medan ni väntar.

- En förrätt, inte mig emot, kom det från Benneth, har ni några att välja på? Man kunde nog ana en viss lyster i ögonvrån, gourmén i Benneth hade vaknat till liv. Dofterna retade hans känsliga näsborrar och han kunde redan känna smakerna i sina tankar.

- Jag ska hämta listan, sa värden och försvann från rummet.

- Hur länge tror du vi får vänta på dem? Jag är hungrig som en varg, Agneta.

- Dröjer det för länge får vi väl beställa in maten, men vi väntar väl en stund så får vi se, vi har ju inte fått vår förrätt än.

Under tiden som Agneta och Benneth högg in på förrätten kom en äldre dam förbi. En dam som varken Agneta eller Benneth kände till, men som säkerligen Tango och Båstad gjorde eller i alla fall borde. Hur det hela hänger ihop kan kanske vara lite knepigt? Men den äldre damen som för övrigt heter Rose Dahl och har gett restaurangen dess namn, letade febrilt med sina mörka ögon efter någon. Agneta kunde inte låta bli att fråga den oroliga damen...

- Letar ni efter någon?

- George talade om att de skulle vara här?

- Vilka de, undrade Benneth?

- Min äldsta son, och Marias barn…

- Vill du sitta ner och berätta för oss? frågade Agneta som började få vissa aningar om vad det kunde röra sig om.

- Ni förstår kanske inte, men jag ska försöka. George och jag var tvungen att sända våra barn till Sverige. När de väl kom fram så skulle min mans far, Martin, ta hand om dem. Men av någon anledning bröts kontakten och vi har letat efter barnen. Jag var höggravid och kunde inte åka annars hade vi följt med. Men jag trodde att de skulle komma till restaurangen… kom det lite tyst och försiktigt från Rose.

- Vad heter de? undrade Benneth.

- Oh, Marias barn heter Michel men vad jag vet kallas han för Tango, efter sina framgångar när han tävlingsdansade som ung i framförallt tango. För några år sen fick vi kontakt med Maria och fick reda på en hel del. Maria hade flera fotografier från tiden i Bones Aires, något som inte Pedro hade hos Martin.

- Ja det talade Tango om, men han sa inte mycket om sin morbror, upplyste Benneth henne om.

- När man talar om trollen så tror jag att de är på ingång, vad jag kan se på messet, de står utanför restaurangen. Men det är något jag inte förstår, vi vet att Tango är ditt barnbarn, men din son Pedro menar du att det kan vara Båstad? undrade Agneta.

- Vem är Båstad? frågade Rose fundersamt.

- Det är Tangos mentor som lastbilschaufför. Båstad har kört långtradare, jorden runt kan man nästan säga. Vi vet inte så mycket mer om honom, men köra en långtradare det kan han. Benneth utryckte det nästan stolt för det var hans förtjänst att de hade Båstad och Tango med sig på turen.

- Oh jaså, jag har en bild på Pedro, det är tyvärr ingen nytagen bild… men ni kanske känner igen honom, om det är… vad var det ni kallade honom för? Båstad. Med det visade Rose ett äldre fotografi för Agneta.

- Jag kan inte säga med säkerhet men det ser ut att likna Båstad eller vad säger du..? frågade Agneta till Benneth.

- Det är svårt att säga men det kan nog vara Båstad i yngre dagar. Men jag är inte säker… skyndade sig Benneth att säga, då han inte ville invagga den äldre damen i falska förhoppningar.

- Ska jag servera huvudrätten nu till alla… undrade servitören.

- JA, kom det snabbt ifrån Benneth samtidigt som han såg att de andra var i antågande.

Den gode damen, Rose, var en aning fundersam eftersom George så uppriktigt hade talat om att både Michel och Pedro skulle vara på restaurangen. En något bekymrad dam började gå mot gången…

- Ursäkta, jag såg mig inte för… började Båstad med att säga när han helt plötsligt stötte ihop med Rose.

- Det var inte så farligt... jag gick i andra tankar... Det var tankar som var långt bort därifrån. Rose kunde inte stänga inne de tårar som trillade ur ögonvrån och några snyftningar undslapp henne.

- Ni får förlåta mig, men någonting inom mig säger att vi är bekanta, men varför har jag inte den blekaste aning om. För Tango som stod alldeles bakom Båstad verkade det hela något ologiskt. Tango skulle till att tala om det när han såg en servitör komma in från de bakre regionerna med MAT.

En person som verkade bekant, i alla fall, från de fotografier som står där hemma och hos Tangos mamma, Maria. Tango tänkte, ska jag våga fråga eller är det bäst att låta bli?

- Rose, ropade servitören, skulle meddela att George kommer om en liten stund.

- Tack, Vince, suckade Rose och vände inåt rummet igen.

- Sa du att han hette Vince, men han är jättelik en man på fotografiet som finns hemma. Men det är på en som heter George, undslapp det Tango.

- Ja, kom det lite stolt från Rose, när vi skickade hem våra två barn, Maria och Pedro, till Sverige var jag höggravid och bara några timmar efter att planet lyfte födde jag Vince.

- Då var det tur för dig att det inte var i planet, kom det från Båstad.

- Oh ja, men det hade varit trevligare om de andra hade kunnat få stanna med oss i Argentina. Vi fick bo i en by visserligen, men det hade känts bättre om vi alla varit samlade.

- Alla? Båstad som inte varit med riktigt från början kände sig något utanför.

- Hej, på er allihop. Så bra att både Michel och Pedro är här.., började George men blev stoppad av Båstad.

- Michel och Pedro..? Vilka är de? Det här får ni förklara, kom det något förtrytsamt från Båstad.

- Pedro, jag vet att du kallas för Båstad, men vi har letat efter dig under en lång tid, men tack vare dna har man fastställt att du är min son. Det måste ha varit besvärligt för dig efter den där olyckan, som orsakade att du fick minnesförlust under en tid. Eftersom jag bara har två söner, Pedro och Vince, och den enda som jag inte visste var han fanns är, Pedro, så det måste vara DU, Båstad. Här slutade George med sitt lilla anförande för att se hur Pedro/Båstad reagerade.

- Den där olyckan, började Båstad med att säga lite försiktigt, vilken olycka?

- Kommer du ihåg någonting från din uppväxt? frågade George.

- Jag har glimtar från ett hus någonstans i Latinamerika, en stor bil typ Adam och en Folkvagnsbuss, en blå bil med flyglar på som familjen åkte till havet med. De kallade den för någonting kommer inte ihåg vad.

- Blåvinge, fyllde Vince i.

- Jaså, jaha men det känner jag inte till. Ringer ingen klocka här, tyvärr.

- Nej, det är så klart. Den lilla bilen var inte med de andra,

Ugandense, latinska namnet för blomman "Blåvinge", upplyste Rose helt oförberedd på vad som kunde hända...

- Ugan... ugan... dense, var är han? Har den knäppgöken tagit Ugandense med tänker jag göra slarvsylta av honom... kom det hett som från en vulkangryta ifrån Båstad.

- Stopp, stopp svalka av din heta ådra... började Tango att säga men blev ganska snabbt avbruten av den heta Båstad.

- Vet du vem jag menar, Tango?

- Neej.

- Min så kallade farbror Martin, han såg till att jag förlorade språk, fotografier och hade ingen aning om vilka som var min närmaste familj. Det värsta var att ingen talade om för mig vilka som var min familj eller att jag hade en syster i livet. Visst någonstans inom mig kände jag att det borde finnas släktingar men allt eftersom tiden gick glömde jag bort dem, helt enkelt. Sen rymde jag från gården och liftade till Båstad, där jag träffade en långtradarchaffis som behövde hjälp. Eftersom jag har lärt mig att köra traktorer på gården och lite mek. fick jag börja hos honom som lärling. Jag ville inte minnas tiden hos Martin och tiden som Pedro, det smärtade för mycket.

- Så det var ingen riktig olycka? undrade Vince.

- Tror inte det, men om det har varit någon olycka, kommer jag inte ihåg något. Det finns en del svarta luckor i mitt liv, det är allt. Efter det kastade sig Båstad resolut över maten som var kvar.

- Kan den här bilden stämma med Ugandense, frågade Agneta, och visade bilden på Blåvinge som nu står vid Bergets Bilmuseum. Visserligen inte i Snickarens lokal men i Direktörens restaurerade lada.

- Visa den för Rose, jag äter, grymtade Båstad till. Sagt och gjort så vände sig Agneta till Rose.

- Ja, det är likt om vingarna hade varit mindre.

- Blåvinge som bilen heter har blivit restaurerad och fått sina vingar förstorade, förklarade Benneth.

- Då måste det vara Ugandense, Rose, vi har hittat vår lilla familj igen. Tack och lov för det, utbrast George.

I Toby har bilarna ett resonemang...

Under tiden som alla gladde sig och åt en härlig middag med musik och dans, där Tango verkligen fick visa upp sina danskunskaper i Argentinsk tango. I långtradaren däremot kunde man höra både det ena och det andra om strulet i restaurangen.

- Släktträff igen.., suckade Helga en aning.

- Är det någon särskild du tänker på? undrade Hugo lite försynt.

- Nej då, men man tänker ju på de som står kvar där hemma, Grålle, Charleston, Vegas, Alfred, Madame Louise, Orvar, Mariana, Delta, Bobby med Puma.

- Jag undrar hur de har gjort med den nya killen, Blåvinge eller Ugandense, som han heter. Vilket namn..., det måste vara det latinska namnet, fortsatte Hugo med att säga till Helga som var lite ledsen.

- Äsch, Kom igen nu det svänger ju, protesterade Todd… men blev avbruten av Sissi.

- Det förstår du väl att Helga saknar de andra, och efter Adams utlopp är det väl inte konstigt om Helga är fundersam, men det är nog värre för Berta.

- Ja, Sissi, jag är orolig för Berta. I museet hade hon, mig, Vegas och Madame Louise som backade upp henne…

- Helga, avbröt Hugo henne, var det ändå inte fler som gjorde det?

- Förlåt, naturligtvis kom även ni grabbar till hjälp när det behövdes. Men vem ska hjälpa Berta nu?

- Det vet jag, det vet jag…, studsade Todd i vagnen i sin iver.

- Jaså, undrade Hugo.

- Det kommer Anna och Bosse säkerligen att göra, trodde Todd.

- Men vem ska stötta Anna och Bosse då? undrade Sissi lite stillsamt.

- Det får nog vi göra allihop i den här delen, tänker jag om vi ska klara av hela resan, kom det suckande från Helga, för hon var verkligt bekymrad över situationen.

Under tiden som Helga och Hugo resonerade om den uppkomna situationen, höjde Adam rösten för att poängtera för de andra, att det var han som höll i alla trådarna. Det var ingen idé att någon protesterade, inga viskningar eller andra oljud accepteras.

- Hmf, herr Adam vill leka diktator, konstaterade Bosse med en högtravande ton.

- Absolut inte, ville Adam lite lätt protestera, då han ändå inte ville ha den stämpeln på sig.

- Hur vill du annars beskriva den position du just beskrev? undrade Anna.

- VD över resan... kom det överlägset och pompöst från Adam.

- Ha, ha, ha, dra mig på en liten vagn, kom det snyftande och nervöst från Berta, jag hoppas att när vi är tillbaka, riktigt kunna få knäppa dig på nosen, huven, menar jag. Sen vill jag aldrig mera stå bredvid en sådan pompös och imbecill bil, kom det hett ifrån Berta.

Anna som fått veta av de andra att Adam fått köra tillsammans med den tuffa Vegas, vågade sig på att fråga Adam.

- Vem styrde skutan till Buenos Aires, du eller Vegas? Frågade hon lite försåtligt till Adam.

- Ähum, det tar vi inte upp här, bestämde Adam helt frankt då det var ett litet känsligt ämne.

- Jo, för tänk att vi gör det. Bestämde Anna helt frankt för hon var trött på Adams trakasseri på dem alla och främst på Berta. Vegas kunde du inte sätta dig upp emot för hon är både tuff och kavat, med en svada som kan göra en galen. Men här finns bara trevliga individer förutom DU, som vill kunna resonera och ta gemensamma beslut. Inte bli pådyvlade pålagor som i alla fall inte kommer att fungera och det vet DU, innerst inne. Så hur vill du ha det? En lugn trevlig resa eller en otrevlig? fnyste Anna.

- God natt! Var det enda svar hon fick från Adam.

Alla bilar och människor gick nu till en välbehövlig vila för att imorgon påbörja resan mot Ånge. När nu Tango kom ner till bilarna på morgonen, fick han en konstig känsla av att allt inte riktigt stod rätt till, kanske för att den stora långtradaren inte såg så fräsch ut eller var det något annat?

- Humph, det kan den där Tango tycka men om han hört eländet från igår kväll och natt skulle han inte tänka sådär, brummade Tybo som annars var en ganska tystlåten och beskedlig långtradare.

Innan de andra kom släntrande från morgonfikat hade Tango klättrat in och satt sig för att köra iväg. Tango försökte att starta men motorn ville inte fatta vinken.

- Båstad, ropade Tango, varför vill den inte starta?

Någonting var fel när den annars så pålitliga arbetskamraten vägrade att starta.

- Har du kollat att allting är ok, undrade Båstad. Kom ihåg alkolåset som vi satte in i början på resan.

- Asch, det glömde jag. Tango testade att blåsa i alkolåset, men neej, Tybo, startade inte.

- Få se vänta, Tango, kompisen har rätt vi får inte köra än. Vi drack en hel del, i alla fall jag, så vi får vänta tills imorgon. Jag snackar med Agneta om det, efter att ha diskuterat läget, kom de överens om att stanna kvar för att istället åka dagen därpå.

- Men vet du vad vi kan göra? kom det från Agneta.

- Neej, men jag kan tänka mig vad det kan vara, sa Båstad.

- Ska bara telefonera till din brorsa först så vänta där ni är.

- Fick du veta någonting…? undrade Tango.

- Vi ska stanna där vi är. Vänta, vad sa du Agneta…?

- Ta fram för utställningen, men inte bilarna. Efter klocka14 kan vi ha ett litet lådbilsrace, om man kan få några barn att köra på den stora parkeringen.

- Okey, jobb alltså... var den enda kommentaren från Tango.

- När ska utställningen vara klar för start och var ska vi ställa upp den?

- Inne på restaurangen från och med nu och fram till 18.00.

- Okey, då skyndar vi oss.

Under resan mot Ånge...

Efter att ha sett utställningen gick många förbi långtradaren för att få en glimt av Adam, Berta, Helga och Hugo men även de små lådbilarna. Men det var ingen som anmälde sig till någon tävling. Efter utställningen packade man så ihop för att vara klar för start tidigt den påföljande morgonen. Båstad började då att köra och till skillnad från dagen innan, var han glad som en lärka.

- Hur ser resan ut för idag? undrade Tango.

- Vi har kaffe och alla tillbehör med och den smaskigaste kakan från "Rose", skrattade Båstad.

- Jippi, tjoade Tango.

I denna trevliga stämning påbörjade de så sin resa till Naturum som ligger i Ånge kommun. Men den kanske får sig en liten törn längre fram, vad vet man? Under tiden som den resan framskrider tittar vi till hos utredarna i Ludvika för att se hur långt de har kommit. Mötet i Folkets hus började med att Kalle ville rapportera vissa detaljer från dagboken som han fått. Den dagbok som Bjeres fru, Emelie hade skrivit...

- Som jag ser det har Emelie skrivit ner det som hon såg, men även funderingar kring hela händelsen.

- Funderingar, kan man ha det? undrade Lilian. Jag menar man ser det man ser, finns de något mer att säga om det..?

- Kanske, kanske inte, kom det något kryptiskt från Kabish.

- Hörrudu, prata så att en annan förstår, kom det argt från Stig.

- Hetsporrar, lugna er, började Kalle med att säga...

- Lugna oss, den där göken har gått omkring och gnuggat händerna i ett par dar nu, och smilat upp sig som om han vunnit högsta vinsten... Kom det hett och förtrytsamt från Stig som retat upp sig ordentligt på Kabish.

- Men tänk om jag gjort det då? retades Kabish tillbaka till Stig, de två rivalerna om Lilian.

- Vänta nu här…, grabbar, jag menar vad bråkar ni om?

- Dig…, kom det mörkt från Stig.

- Har inte jag någonting att tillägga i den frågan? undrade Lilian med en mild och lite trött röst. För det var inte första gången de två rykte ihop.

- Hm, jo, naturligtvis, men jag vill bara få den där knölen att förstå att han har mer att kämpa emot än bara dig om han försöker sig på att… ta dig ifrån mig, kom det lite lugnare ifrån Stig efter det att han fått en mycket varm blick från Lilian.

- Kan vi då återgå till den där dagboken, undrade Kabish, det var väl ändå för den som vi har kommit hit eller hur…?

- Kör, Kalle, innan de ryker ihop sig igen, skyndade sig Lilian att tillägga, för som sagt med dessa två ungtuppar kunde man aldrig så noga veta när stubinen tar fyr nästa gång…

- Som sagt, Emelie skrev ner det hon såg ifrån fönstret… började Kalle att säga men där tog det stopp igen.

- Vilket fönster...? undrade Kabish.

- Just det vilket fönster, jag menar, om hon var som du säger ögonvittne, var någonstans befann hon sig då...? Vad jag vet såg jag inget fönster på Snickarens lada, gjorde du? frågade Stig och vände sig till Lilian.

- Har det inte funnits fler hus i närheten, jag har sprungit på en del ruinhögar, när jag varit där. Är det någon som vet något om det? undrade Lilian.

- Hm, sa Kalle, jag tror att Kabish har studerat lagfarter och kartor, vad fick du reda på?

- Det har funnits några hus, men på ladan som står snett emot verkstaden, finns det på övervåningen en liten lägenhet. På gaveln fanns det små fönster, där öppningen skyddades av väl placerade trädörrar. De här var inte stora eller uppseende väckande och snickarna hade sett till att de var skyddade. Det som är intressant är att därifrån hade man uppsikt över gruvingången, Snickarens verkstad och även över vägen.

- Hur kommer det sig? undrade Stig.

- De här fönstren fanns i hela den övre delen av ladan där lägenheten låg. Efter ritningarna var de här fyrkanterna på 20 cm utplacerade med 80 cm mellanrum och 1 m under själva taknocken. Var det någon som såg dessa hål, tänkte man säkert mer på att det var lufthål än att det var fönster. En del var visserligen lufthål men andra fanns där bara för syns skull och för ljusinsläpp.

- Hur många tror du visste om denna lägenhet? kunde inte Lilian låta bli att fråga.

- Det kan inte ha varit många som gjorde det, kanske bara Snickarens familj. Alla handlingar som finns om ladan står på fru Eivor Hendenberg och sonen Bjere, upplyste Kabish lite skadeglatt. Han gjorde det enbart för att visa Stig att han visste saker som kanske kunde ge honom ett försprång till att vinna Lilian, trodde han...

Men nu kände Stig att han måste förklara en liten sak om Bjere...

- I Eivors dagbok skrev hon vem som vigde dem i Danmark, Frank Bjere. Som ett lite minne från den tiden gav hon sitt förstfödda barn namnet Bjere. Men det var ett namn som många hade svårt för, därför gick han under namnet Börje. De flesta på Berget kände nog den äldsta av tvillingbröderna enbart vid det namnet. Dessutom behövde Eivor ha med Bjere på alla handlingarna, då ingen kvinna ensam fick äga fastigheter och jordegendom, vid den här tiden.

- Tur att tiderna har förändrats till det bättre i den frågan, kom det mörkt ifrån Lilian som kände orättvisan i det hela.

- Visst men det var andra tider då... började Kabish med att säga.

- Stopp, kom det från Kalle som kände att det var bäst att stoppa ungdomarna innan de rykte ihop igen. Bjere Hendenberg mest känd som Börje, var det så... Stig?

- Ja, kommissarien.

- Alltså, Emelie såg genom fönstren när hon var i den där ladan som stod...

- Står, sa Lilian

- Ursäkta?

- Den står kvar, jag tror de hittade några PV: n i den, kompletterade Lilian med.

- Jaha, får man fortsätta då, undrade Kalle.

Här höll de tre ungdomarna för mun och nickade bara till svar. Lilian vinklade bara på några fingrar och sa lite tyst för sig själv.

- I alla fall i några minuter mer kan jag inte lova.

Kalle, lyfte sina ögon upp mot taket och kände bara att han nog behövde lite extra styrka någonstans ifrån men han sa bara...

- Ungar, kan ni skärpa er lite. Alltså Emelie såg när Erich Dahl kom vandrande mot Snickarens ställe. Tidigare så hade Eivor och Adolphe anlänt tillsamman med en av Adolphes lärlingar, Sture, inte en av de skarpaste men en snäll gosse. Varför Adolphe tog med just honom, visste inte Emelie då, men hon förstod senare.

- Varför just Sture? kom det lite trevande från Lilian.

- Humph, den gossen var lite efterbliven efter vad jag kan förstå av Emelies beskrivning, kommenterade Kalle.

- Men det är väl inget skäl till att släpa med sig honom... insisterade Stig.

- Men Adolphe kanske inte ville mista en av de skarpaste lärlingar han hade, inflikade Kabish.

- Det kunde inte vara så att Sture, var något mer för honom än en lärling? replikerade Kalle med...

- Vadå mer..? undrade Stig.

- En liten tanke bara, men hur som helst så var det Sture som var med när de träffade Erich Dahl vid Snickarens ställe. Emelie såg att de gick in i verkstaden och av någon anledning följde hon efter men inte ensam…? längre kom inte Kalle förrän Kabish protesterade med bestämdhet.

- Vem skulle det kunna vara, Emelie var väl ensam… i ladan menar jag?

- Nej, det har jag inte sagt att hon var. Av det hon har skrivit kommer det fram att hennes man, Bjere och deras två barn, Levi och Tabita, var med i ladan.

- Kalle, menar du att hela familjen från Bjere Hendenberg var där? frågade Lilian lite förvånat med tanke på vad som hade hänt där.

- Är inte det lite underligt… kom det något fundersamt från Stig.

- Kanske, kanske inte, försvarade sig Kalle med, i ett försök att komma till punkten av historien. Att hela familjen var samlad i ladan vid just detta tillfälle var ingen slump.

Stig tog sats som för att säga något men blev avbruten då Kalle, höjde varnande på handen och fortsatte med sin förklaring.

- Eivor hade gett Bjere order om att familjen skulle finnas där. Men hans fru Emelie, som kände till Erich Dalhs nycker ganska bra, vägrade att låta Bjere följa med till mötet. För som hon skriver " Han kommer att döda alla som känner till lånekarusellen, Eivor och Adolphe samt dig om du finns med vid mötet." Det kunde hon inte tillåta därför var de samlade där som Eivor hade instruerat men mer som observatörer. De tog tillvara på alla de papper som fanns i Snickarnas verkstad och i ladan för att sen försvinna från Berget, för gott. Men om vi koncentrerar oss på vad som hände där, kanske vi får svaren på frågorna. Så kan jag få fortsätta…

- Fortsätt du, vi ska försöka att styra oss, kom det från Kabish.

- Tala för dig själv, fnyste Lilian till, jag för min del vill inte lova något bestämt och vid det nickade Stig instämmande.

- Ok "Orsa kompani lovar ingenting bestämt", i det här fallet får man förmoda att Orsa kompani är Lilian och Stig. Samtidigt som Kalle sa det tittade han uppfodrande på dem…

- Tjaa… kom det lite tvekande från Stig samtidigt som han tittade på Lilian för att se om hon samtyckte till kompanifrågan. Det enda han fick var ett nickande svar…

- Då fortsätter jag igen då…, när Emelie försvann in i verkstaden såg hon att de hade samlat sig vid nedgången till tunneln. Adolphe som tagit upp locket och hade börjat gå ner fick höra protester från Erich, eftersom hans dåliga hjärta kanske inte skulle orka med den ansträngningen. Adolphe å sin sida kände att Erich gott kunde gå ner om han nu ville diskutera den uppkomna frågan, med sin dotter och med honom. Gjorde han inte det kunde de lika gärna gå hem, för Adolphe var trött och ur humör. När de väl kom ner i tunneln började de gå mot det underjordiska gravkapellet som Snickarens söner hade skapat åt sin far och mor. Vad Erich ville diskutera var det ingen som berörde då de visste om hans andel i lånekarusellen och kunde verifiera den. Något som den känsliga Erich absolut inte ville att det kom fram, hans "hedervärda" rykte var han sjukt ängslig om. Eivor och Adolphe var väl medvetna om att de gick mot sin död, om nu inte Erich fick en hjärtinfarkt eller något sådant. Sture som gick längst bak i kortegen hörde att någon följde efter dem, men han vågade inte vända på ansiktet för att se vem det var eller ropa till de andra. Kanske om han hade gjort det, att utgången blivit en annan, kanske, men det är inte säkert.

- Vad menar du med kanske? frågade Lilian som inte längre kunde hålla tyst av ren nyfikenhet inför den spännande upplösningen på historien.

- Därför att Erich hade en Mauserpistol i sin hand…, fick Lilian till svar från Kalle. Var det inte så, Kabish, att Erich Dahl hade en hel del vapen i sitt hem?

- Jo, i bouppteckningen hittade man en del vapen, jag kommer inte ihåg alla, men det finns en lista där de räknas upp.

- Kolla det.

Kabish satte sig ner vid sin laptop för att söka i de sidor som rörde bouppteckningen från Erich Dahl. Under tiden letade de andra efter andra händelser som hade med försvinnandet att göra. Den där bouppteckningen som gjordes utan att man hade hittat Erichs kropp. Att Erichs fru, Agda hade legat på om att en bouppteckning måste göras knappt en månad efter försvinnandet sågs inte med blida ögon. Eftersom Erich inte hade sin hjärtmedicin till hands vid försvinnandet antog man att han dött av hjärtbesvär. Därför dödförklarades han så snabbt, men Erichs advokat hade mycket hellre väntat tills åtminstone ett år hade gått.

- Pistolen finns med i bouppteckningen men den är antecknad som försvunnen. Pistolen finns med på en lista som fanns bland Erichs övriga papper, speciellt de papper som är över de vapen han hade. Pistolen fanns inte på sin plats vid själva bouppteckningen, senast någon hade sett den var 20 april 1921. Att man vet det var för att Erich hade gjort en anteckning om att han tagit den med sig till ett möte.

- Det står inte vilka han skulle möta. Kan det möjligen vara då detta olycksaliga möte ägde rum? Jag menar han försvann den där dagen, eller hur? Det finns en polisrapport om det, är det inte så? frågade Lilian till Kabish.

- Jo, frun väntade i några dagar innan hon uppsökte kommissarien.

- Varför väntade hon i några dagar, Kabish, vet du det? Stig kunde inte finna någon anledning till att man väntar med att rapportera en försvunnen person, speciellt om personen är i behov av livsnödvändig medicin.

- Det här är en ren spekulation, Stig. Tänk om hon visste om det där mötet och förstod vilket utfall det skulle få. En sak som man kan fundera på är att när Erich skulle ha ett möte då visste frun alltid om var mötet skulle hålla till. Erich var tydligen noga med sina anteckningar om platser och tid. Men enligt polisrapporten omnämns det inte någonstans, att hon hade vetskap om var Erich befann sig, något som verkade helt ologiskt. För övrigt var hon inte hemma den där dagen, enligt rapporten, utan uppgivit att hon varit på visit hos några vänner.

- Vilka då? frågade Kalle.

- Vet inte, det verkar som att man inte har kollat upp det, konstaterade Kabish, det är också underligt. För det borde man väl ha gjort, eller hur Kalle?

- Jo, men vid den här tiden fanns det de som slarvade med det när personer med högre status kom in. Vid visa tillfällen till och med ignorerade man helt enkelt de rutiner som borde göras för att tillfredsställa de högre i samhället, suckade Kalle.

- Men vad var det som hände då? Lilian var väldigt nyfiken nu på hur det egentligen skulle gå. Visserligen visste hon hur slutet blev, men vägen dit, och hur det gick till det ville hon gärna veta.

- Jag vet att du är nyfiken, Lilian, men det ni ska rikta in er på är att läsa från Adolphes och hans fru Saras dagbok. Hade inte Erichs fru, Agda Dahl skrivit en? frågade Kalle till Lilian.

- Jo, Agda Dahl har skrivit ett flertal dagböcker.

- Läs igenom dem och till nästa gång vi träffas på onsdag i Folkets hus. Försök hålla sams till dess är ni snälla. Halva tiden gick ju åt till att lugna er stridstuppar. Klockan är mycket jag måste rusa till mötet med Salvador.

- Ush, jag som trodde att vi kunde reda upp det idag, tilllade Kabish lite trött.

- Är det av något särskilt skäl? retades Stig till Kabish.

- Jag har ett jobb i Stockholm som väntar. Ska kolla en del lägenheter i nästa vecka, tyvärr inte i första hand.

- Aha, det var där vinstlotten låg. Jag som trodde du försökte flirta in dig hos Lilian, ber om ursäkt för missförståndet. Kom det lite tystare och lugnare från Stig som inte gärna ber om förlåtelse för någonting, men inför Lilian gör han det.

När Kalle kom fram till mötet där Salvador satt hade en uppkoppling med Agneta i Ånge redan gjorts. Fru Halldén pratade med Agneta just då Kalle stormade in i rummet.

- Så ni har kommit fram nu till hotellet? frågade fru Halldén lite försiktigt.

- Jaa, och det blev klart för fem minuter sen, att utställningen kommer att ske i en av stugorna som Naturrum har till sitt förfogande. Vi kommer att stanna här i en vecka så både Båstad och Tango får möjlighet att åka hem i några dagar.

- Hur blir det med Benneth och dig då, Agneta? undrade Salvador.

- Innan vi åker iväg kommer Direktörn och Leif upp för att ta hand om några stopp fram till Umeå.

- Har ni gjort upp någon plan för de här stoppen? Jag menar vi visste ju inte om att den här resan skulle bli lyckad eller om det fanns något intresse av den…, frågade Salvador. Denna fråga hade stötts och blöts i korridorerna, något som Salvador var väl medveten om.

- Vid den första utställningen i Arbrå skrev en reporter om oss. Det gjorde att vi fick lättare kontakt med en del personer som kunde hjälpa oss med lämpliga lokaler. Vi har fått möjligheter till en utställning i Östersund om en och halv vecka sen blir det Strömsund, Vilhelmina och Sundsvall. Från Sundsvall kommer jag och Benneth att åka upp för att byta av Direktören och Leif. I Örnsköldsvik får Båstad och Tango fem dagars vila. Från Sundsvall har vi sedan uppbokade utställningar men man kan aldrig så noga veta, saker och ting kan hända… Men hur går det med utredningen?

- Ja, Kalle, hur går det? ville även Håkan veta då han var med när kropparna bars fram.

- Det närmar sig, det närmar sig.

- Närmar sig vad? poängterade fru Halldén.

- Upplösningen, Halldén.

- Håll oss inte på några varma galler, Kalle, utan berätta nu, kom det rappt ifrån Salvador.

- Tyvärr måste jag nog göra det. Det vi vet nu är att det fanns andra som var närvarande just den kvällen. Vilket underlättar något eftersom de senare skrev ner det som en ögonvittnesskildring, som vi har fått tillgång till, speciellt i en av böckerna. När vi har undersökt det hela har det kommit fram saker som gör att vi måste gå igenom andra papper mer grundligt, kunde Kalle upplysa alla i den samlade konferensen om.

- Jaha då får vi avvakta tillsvidare då.

- Hur länge stannar de i Ånge? frågade Kalle till Salvador. Jag menar om de ska vara där i några dagar kanske man kan åka upp för att se utställningen.

- Jodå, vi blir kvar i en vecka, så du hinner nog med det. Kom det från en glatt överraskad Agneta. Jag skickar till dig om tider och var den finns mer exakt.

- Låter bra. Hej då så länge till er alla.

- Jaha då var det väl inget mer nu då, eller... undrade fru Halldén syrligt.

- Neej, vi kan avsluta informationsmötet om du vill det, kommenterade Salvador.

Eftersom mötet hade avslutats och inga fler avslöjande står i sikte gör vi väl bäst i att återgå till Ånge. Långtradaren har kommit fram till platsen där utställningen ska gå av stapeln. De har redan talat med föreståndaren om hur avlastningen av bilarna ska gå till och var någonstans man bäst ska placera skyltarna. Nu är man på väg för att inkvartera sig på hotellet och uppsöka en restaurang för en bit mat.

Ånge utställningen med tribut...

- Båstad, har det hänt något på hemmafronten? frågade Tango vid matbordet där de hade slagit sig ner.

- Hm, skulle man kunna säga, kom det mörkt ifrån Båstad.

- Vad är det om? undrade Benneth.

- Det är av privat natur, det finns inte något mer att säga om det, avbröt Båstad med. För han ville inte ha något medlidande eller några goda råd hit eller dit i denna något olustiga affär.

- Okey, vi ska inte pressa dig. Men du kommer nog inte helt undan ändå, vi arbetar alldeles för nära varandra för att inte se eller höra. Men du avgör själv, var det enda som Agneta kunde säga i denna otrevliga stund.

- Jaha, om ni måste veta så har frugan lämnat in en ansökan om skilsmässa för en vecka sedan. Något jag inte vetat om förrän nu när papperen från en advokat kom neddimpandes på min mail och måste åka hem, idag. Båstad var inte lite upprörd, men han försökte verkligen behärska sig inne på restaurangen.

- Vi ska ju vara här i Ånge hela veckan och nog ska vi klara av att du åker hem för några dagar, eller hur killar? sa Agneta och såg frågande på Tango och Benneth.

- Jäpp... kom det instämmande från Tango och Benneth.

- Skönt, då ses vi igen om 5dar. Men nu kan vi väl återgå till något trevligare, undrade en trött Båstad.

- Jodå, det kan vi. Någon som har lust med lite TP? frågade Benneth.

- Ja, skrattade de allihop.

Morgonen därpå reste så Båstad iväg för att träffa advokaten och resten av familjen. Vägen dit skulle bli lång och långsam, han hann fundera i många grumliga banor den käre Båstad. Men för de andra blev det mer arbete, för det var den första dagen för utställningen. Den dagen var det en besökare som stod länge och funderade vid Adam. Mannen sa ingenting utan gick sin runda med en bekymrad panna, när han stannade till för att dricka kaffe och äta sitt wienerbröd, suckade han kraftigt

- Ursäkta, om jag frågar men är det något speciellt du funderar över? Agneta kunde bara inte låta bli att fråga mannen även om det kanske skulle vara lite påfluget. Man kan ju aldrig veta så noga…

- Nja, jag bara undrade. När kom Adam tillbaka till Sverige? Vilka fler reste med i samma plan?

- Oj, Få se jag tror jag har det uppskrivet. Kan du komma tillbaka lite senare så att jag hinner göra en sammanställning åt dig? Men jag vet att det fanns en prototyp på en gasdriven motorcykel i det planet.

- Tack det är allt jag behöver veta.

- Varför var det intressant?

- Därför att min bror höll på med att ta fram nya drivmedel och för att göra det hela billigare använde han sig av motorcyklar. Han sände en hit till Sverige från Argentina tillsammans med några andra bilar i ett lastflyg. Nu har han tyvärr dött under tråkiga omständigheter så jag vill gärna skänka bort denna cykel eller om jag ska skrota den, jag vet inte.

- Kan du tänka dig att skänka den till Bergets Bilmuseum? Kom det nästan omedvetet från Agnetas läppar.

- Kanske det, sa mannen med en lite ljusare blick.

- Men då måste du skriva ner cykelns historia, om du kan det.

- Ska bli, du har lyft en sten från mina axlar idag.

- Det är alltid roligt att göra någon glad.

Efter det satte han sig ner och skrev prototypens historia. Men det fanns en som inte riktigt gillade det han hörde, Adam.

- Fnys, ska man behöva tränga sig med den?

- Vem då? undrade Berta. Visserligen hade hon hört det hela men hon ville ändå veta varför Adam reagerade som han gjorde. Det måste vara något som han inte har talat om eller som han inte ville ska komma fram, helt typiskt för den självgode Adam.

- Moby, knarrade Adam lite mörkt.

- Moby? Var det inte en som åkte med dig över i flyget från Argentina som hette så? frågade Helga lite oskyldigt.

- Hm jo, knarrade Adam ändå mörkare.

- Vad är det du knarrar om? Vad gör det om det kommer en bekant till i Bergets Bilmuseum, det kan väl inte skada någon? Allra minst DIG som har berättat hela din historia eller… har du inte det? småskrattade Hugo väldigt tyst för sig själv.

- Okey då. Jag har inte berättat allt men måste jag det?

- Neej då, lilla Adam. Kom det från Helga och Berta som i en kör.

- Då så, snörpte Adam av men innerst inne visste han att de inte skulle nöja sig med det. De skulle gadda ihop sig för att dra ut hela historien från honom och det ville han inte.

- Vad tror du de andra kommer att tycka om det kommer en cykel till muséet? undrade Berta.

- Tja, det vet jag inte…, men vi har ju en gammal traktor som tillhör gruppen icke personbilar. Så om det kommer en till icke personbil ska det väl inte göra så mycket. Tycker i alla fall jag, slutade Helga sin lilla förklaring.

- Om man tänker efter så är det flera av bilarna som har en anknytning till Argentina som Delta, Vegas, Madame Louise och Adam. Nu blir det även Moby, räknade Hugo upp.

- Du glömmer en bil, morrade Adam mörkt.

- Vilken då, frågade Helga nyfiket?

- Blåvinge, denna sliskiga charmör som tog familjen ifrån mig, brrrr, morrade Adam mörkt och hotande. Hade han haft tänder hade det gnisslat riktigt ordentligt.

- Blåvinge... känner du honom det visste jag inte, kom det lite förundrat ifrån Berta, honom har du aldrig nämnt.

- Nej honom vill jag helst glömma. Han följde inte heller med över till Sverige så jag trodde att man blivit kvitt den lurken för gott. Så ni får ursäkta men jag ansåg det inte vara nödvändigt att ta med honom i berättelsen, avslutade Adam med att säga.

- Aha, kom det från de andra

Efter dagens slut kom en av receptionisterna fram och frågade Benneth om det skulle bli någon lådbilsrace.

- Jag vet inte, är det någon som har frågat om det.

- Ja faktiskt. Vi har två familjer med barn i åldern 10 till 12 som gärna ställer upp och kör lådbilarna.

- Hur många är de?

- Det är tre pojkar och två flickor.

- Hm, vi har bara fyra bilar. Vet du om det finns fler som kan tänka sig att köra i ett lådbilsrace. Vi behöver alltså en pojke och två flickor till om vi ska köra två race, konstaterade Benneth.

- Jag hör mig för bland gästerna.

- Men kom ihåg att jag inte lovar att det blir av. Vi måste ha en plats för tävlingen också.

- Jag vet ett bra ställe.

- Ok vi får ta och titta på det imorgon.

Efter att både Agneta och Tango hade följt med ut för att titta på platsen för racet, kom man fram till att man kan köra en mindre runda i två varv. Receptionisten hade inte fått fram några ytterligare namn än. Tango som lyssnade till dem såg att det var något som låg och brände på Agnetas läppar. I sitt sinne räknade han bara ett, två...

- Men skulle vi inte kunna ha ett race imorgon och ett race på torsdag där själva finalen är på lördagen. Får vi inte ihop flera namn så blir det de som vann från onsdagen som gäller. Jag menar bara att ni då har fått en dag till på er att få fram intresserade. Ett förslag bara… kom det lite försynt från Agneta som inte längre kunde bärga sig.

- Det skulle vi kunna göra om man kan hålla plasten för racet så länge..? sa Benneth och tittade frågande på receptionisten.

- Jag hör mig för om det och återkommer.

- De som redan har anmält sig kan vi få namnen på dem, och var på hotellet de bor så vi kan förbereda dem.

- Javisst, här är listan.

Med listan i handen uppsökte de föräldrarna för att prata med barnen och förbereda för morgondagens race. Man satte upp en affisch på anslagstavlan i hotellets vestibul samt inne på turistbyrån. När nästa dags morgon kom öste det ner från den mörka himlen, skulle det hålla upp den tid som racet pågick? Skulle det gå att köra? Kommer det att bli fler anmälningar eller…

Den mörka och gråa regntunga himlen lägrade sig kvar med sitt skvalande… Barnen som sett fram emot att få köra racet, de fick den nedslående nyheten att, tyvärr, måste dagens tävlingar ställas in. Tango letade upp vädersidorna på sin surfplatta för att se prognoserna, den där plattan som Båstad kallade för "klösbrädan". Tango såg att det skulle komma att klarna upp framemot kvällen. Under morgondagen skulle solen skina men det kunde komma lite regn på eftermiddagen. Resten av tiden som de skulle vara i Ånge såg ut att bli bra väder, förutom en och annan skvätt.

- Regn, regn i riklig mängd men inte nuuuu…, protesterade Benneth ihärdigt.

- Lugna ner dig, Benneth.

- Hm, ska du säga. Agneta, den där grusplanen kommer att bli en lervälling om det här ska hålla på. Det kommer att ta dagar för den att torka upp.

- Hur mycket har det kommit hittills..? frågade Tango.

- 25 mm, brummade Benneth.

- Jag tar mig en tur, tjing så länge.

- Gör det, Tango, gå förbi banan också är du snäll, ropade Agneta efter Tango som vände sig om för att nicka tillbaka. Det skulle han nog inte ha gjort…

Braaak, Tango satt på golvet och kved efter det att tårna träffat en stor fågelburs plåtkant och det med verklig kraft. En kraft som kom sig av att när han svängde runt på ett ben, då hade han med hjälp av den andra foten som befann sig i luften, tagit sats för att snurra runt. Den foten träffade den tunga fågelburens plåtkant med hela centrifugalkraftens stora tyngd och träffade tårna. Resultatet blev att han tappade balansen och satte sig med ett stort braak på ett bord som olyckligtvis stod bakom honom.

- Se dig för människa, skrek en ung tjej, du kunde ha dödat min papi…

- Aj, aj, aj, kved Tango. Varför i all världen skulle du ställa ner buren just där? Vilken hönshjärna som helst fattar att man inte ställer en stor bur där folk förväntas gå.

- Sa du hönshjärna…

- Ja.

- Även en hönshjärna borde väl fatta att man ska se sig för innan man sätter ner foten…

Under tiden som de dividerade kom en av hotellets personal fram till Tango och hjälpte honom till en stol. Agneta och Benneth som sett hela händelsen försökte att hålla sig för skratt så gott de bara kunde, men det hade sett alldeles för roligt ut för att det helt skulle låta bli.

- Ha, ha, ha, Tango, hmmm…, du tror inte att vi behöver, ha, ha, åka till akuten eller så? kom det något krystat från Agneta som inte riktigt kunde hålla sig för skratt.

- Det kanske är lika bra, menar vi…, försökte Benneth att släta över med innan han fick ett skrattanfall som nästan fick honom att tappa andan.

- Hur gick det här till då? undrade en medelålders herre i snygg kostym.

- Farsan han rände in i papis bur… Den knölen, skrek tjejen vänd mot Tango.

- Vänta bara tills jag kommer på fötter igen då… kom det mörkt från Tango.

- Då vadå…? retades hon tillbaka till Tango som inte kunde göra så mycket för tillfället.

- Peace, mina damer och herrar. En olycka händer så lätt… Hur gick det med foten och hm baken? fortsatte tjejens far att säga med ett leende på läpparna.

- Vad tror du? Det är tur att skorna har förstärkt tåhätta annars vet jag inte hur det hade gått. Baken ska vi nog inte tala om… muttrade Tango mörkt.

- Kanske inte, men du får nog vara lite försiktig och sitta lite mjukt ett tag. Men nu måste min dotter och jag inkvartera oss. Jag hoppas att du inte ska få några allvarliga men från denna incident.

- Det hoppas jag också, sa Tango något lugnare.

När de gick iväg med väskorna och buren med papegojan hörde man den skrika… "Vad var det jag sa, vad var det jag sa, vad var det jag sa".

Tango och Benneth åkte iväg till akuten, ifall det skulle bli några följder av olyckan då skett under arbetstid. Den planerade lådbils-racet slutade med att det kom att köras på lördagen och de som anmält sig fick köra, eftersom vädrets makter tydligen var på deras sida. Efter racet packade man och stuvade in Moby i den delen där Helga och Hugo stod. Båstad som kommit tillbaka fick naturligtvis höra talas om Tangos brak i hotellets vestibul och vad det hade ställt till med.

- Har ni talat om för dem där hemma att vi kommer med Moby, började Båstad med att säga till Benneth.

- Det tror jag inte… men Agneta har du talat om för Dirren att vi kommer att ha med en moped…

- Det är ingen moped för det första men tack för påminnelsen.

Lasta in grejerna ni så talar jag med Direktören så länge.

- Har Kalle varit på utställningen vet du det..? kom det lite frågande från Benneth.

- Det vet jag inte om han har. Jag undrar vart han tog vägen…

Tango som varit tyst länge och åhört deras fundering kom med en liten upplysning…

- Han var in på utställningen igår och frågade efter dig Agneta, när du var iväg och hämtade Båstad vid stationen.

- Oh, vad synd att jag missade honom.

När alla bilarna var lastade och kvällen lägrade sig över Ånge skulle man tro att lugnet hade infunnit sig. Men inte inne hos Toby, vår långtradare som fått höra det mesta skulle man tro…

- Jaså, det är här ni står när det bär ut på vägarna. Ett ganska trevligt kyffe eller vad säger du Adam? Började Moby att säga i sitt försök att hitta ett neutralt ämne att tala om.

- Det får duga… kom det kort från Adam som inte ville ha någon längre diskussion med den där tvåhjulingen som blänkte och hade en vacker färg.

- Här är fint och gott, ibland, betygade Bosse.

- När inte Adam surar och gormar på i sitt försök att styra upp allting, som han i alla fall inte kan, poängterade Anna.

- Jaså, han gör det. Men om vi skulle testa med att göra såhär… viskade Moby till lådbilarna.

- Den som viskar han ljuger… sägs det. Berta som hade lyssnat till deras överläggning kunde inte låta bli att dra på smilbandet. Det kanske skulle bli lite annorlunda nu när denna Moby kommit in i deras "kyffe".

Under färden mot Östersund...

När nu alla bilarna var inlastade i Toby och de var klara för avfärd kom Benneth springande samtidigt som han viftande med ett papper i handen.

- Bara ett litet ögonblick. Det har tydligen kört ihop sig lite i Östersund, vi kommer att ha en utställning men det blir i Folkets hus Vinterträdgård.

- Jaha och gäller samma tider då? frågade Båstad något uppgivet som i väntan på en allvarlig och fruktad rapport.

- Inte riktigt. Utställningen tar sin början på onsdag och håller på fram till fredagen, men vi kommer inte att vara ensamma i lokalen.

- Vilka, aj, är det då? undrade en något plågad Tango som hade lite svårt att, hm, sitta riktigt bra.

- Du skulle nog ha tagit emot den där kudden i alla fall... Hur som helst får vi kampera ihop med Östersunds flygmuseum. Leif och Direktören möter er där på tisdag eftermiddag, för att ställa upp våra grejer. Jag och Agneta kommer att flyga till Borlänge nu på morgonen men ni klarar er väl själva eller hur..? hörde Benneth sig själv säga. För någonstans inomsig kände han sig inte riktigt bekväm med att lämna över ansvaret till Båstad och Tango.

- Det ska nog gå bra, chefen. Kom det samtidigt från Båstad och Tango.

Att Agneta inte var med berodde på att hon läste på om Moby. Igår hade Mobys ägare varit till hotellet och lämnat den där historien som Agneta hade frågat efter. Det gjorde att han letat upp alla papper som fanns om cykeln och de noteringar som hans bror hade gjort. Det blev en hel del att sätta sig in i. Men i ett papper stod det om att flygplanet efter resan kom att hamna hos Tella Dalh i

Östersund. Vem är det? Finns planet kvar i Östersund? Hur kom det sig att Tella tog hand om planet? Det här måste Agneta reda ut på något sätt, men hur och när?

Inne i Toby hade Moby en liten överläggning med lådbilarna i deras "kyffe" som han kallade den delen som de stod i. En överläggning som de andra bilarna lyssnade till mycket intresserat.

- När jag först träffade Mozart stod han i sin hangar tillsammans med några andra plan… började Moby sin lilla berättelse med.

- Vilka då, frågade Anna lite andlöst?

- Det var bland annat Franceska, en fröken som kunde linda herrarna runt sin ena vingspets utan några problem, speciellt en. Franco, en person som kunde vara lite dominant men inte i närheten av henne, då smälte han som smör i solskenet. Sen var det, Ravaillac, en riktig skojare och lurifax så det hette duga. Ett annat plan var, Rammstein, han hade varit med om mycket och ville gärna ha sista ordet, en riktig Besserwisser om jag får säga det. Men som den underfundiga prick Mozart är, ryckte han bara på vingarna och flög vidare.

- Till vadå? undrade den nyfikna Sissi som varit tyst ovanligt länge.

- När jag kom dit höll de på att rusta upp Mozart för en längre tripp utanför USA. Jag kanske inte har talat om att hangaren låg strax utanför Las Vegas. Men så var det i alla fall…

- Las Vegas, igen… kom det från Helga som hitintills bara lyssnat med ett öra.

- Undrar vad det nu ska bära iväg, kände Hugo att han behövde kommentera med, för någonting säger mig att det kan bli knepigt… Lådbilarna och Toby visste ju inte om att den orten figurerat tidigare i några av bilarnas historia i muséet.

- Jaha, nu vet jag vad vi får höra, suckade Adam ovanligt tungt.

- Vadå..? frågade Berta med en ovanligt oskyldig min till Adam.

- Säger jag inte.., poängterade Adam och vände bildligt talat ryggen till Berta och de andra med ett kraftigt, fnys.

- Hur som helst så kom Tella och hennes man in i hangaren och började med att lasta in mig och andra persedlar i Mozart, fortsatte Moby att säga utan att nämnvärt bry sig om Adam.

- Vadå för persedlar..? kom det lite nyfiket från Sissi som satt nästan som på nålar för att få veta mer.

- Om det är tillåtet att fortsätta storyn får du reda på det, kom det något småskrattande från Moby. De hade för avsikt att flytta från USA till Sverige, men innan de flög åt det hållet mellanlandade de på ett flygfält i närheten av Buenos Aires för att hämta upp, som det kom att visa sig, Delta och Adam. Efter det flög de till New York och sen till Paris, men vid den resan hade de engagerat en till pilot som även var bekant med Mozart sen tidigare.

- Hur kommer det sig att de inte flög direkt till Sverige? kunde inte Berta låta bli att fråga.

- För det första var planet gammalt, sen hade de ingen tidspress. Den enda ordentliga piloten i planet var Tella när de reste från Las Vegas, så för hennes skull tog de in en extra pilot när de skulle flyga den längre resan till Paris. Hennes man professor Bertram hade visserligen en flyglicens, men den hade han tagit för att flyga med ett mindre plan. Med enbart Tella som pilot kunde de bara flyga kortare sträckor istället för en enda lång. Vi kom ju fram i alla fall till Stockholm där en gubbe stod och väntade på dem.

- Vad hände när ni kom fram? Jag menar … med planet och Tella, men det kanske du inte vet, kom det något betänksamt från Berta.

- Efter att Delta och herrn här lastats av, så stannade vi kvar i hangaret på ett privat flygfält i en vecka, vet inte vilket, men det var trivsamt i alla fall.

- Vad hände sen då? kunde den frågvisa Sissi inte låta bli att ställa.

- Vänta Sissi, du måste förstå att Tella behövde vila mellan resorna. När man nu inte behövde rusa iväg, tog de chansen till att se sig omkring. Det kan man väl unna dem i alla fall, eller..?

- Jo, kanske… kom det lite kryptiskt från Sissi.

- Då så, förresten behövde de hitta någonstans att bo och professorn hade vissa kontakter han behövde kontakta. En av de saker som behövdes diskuteras var Tellas flygcertifikat, innan det vart helt klart, kunde de inte flyga till Östersund. Hennes flygcertifikat ville Luftfartsverket inte riktigt godta, och utan godkännande kunde de inte lyfta. Men de löste det tillfälligt med att återigen engagera en pilot för att komma till Östersund, eftersom det dröjde med ett klartecken från Luftfartsverket.

- Men vad hände med dig när ni kom fram till Östersund? ville Adam veta bara för att ha några ord med i laget. Han ville inte bli helt uträknad än…

- Tja, när Bertram började med sitt projekt igen med mig så sände de iväg Mozart till ett flygfält, där de kunde ta hand om honom. För mig ändrades jag från att gå på gas till el, med en ny motor och allt vad det innebar. De fixade upp mig riktigt bra och provsträckorna som de körde mig blev längre. Men den stackars professorn fick problem och hans bror tog över men det räckte tyvärr inte, utan jag blev ställd på undantag.

- Jaha, så då var det brodern som gjorde det där besöket i Ånge där han lämnade in dig till Bergets Bilmuseum, konstaterade Adam lite nonchalant. I sitt stilla sinne tyckte han om att Moby hade fått sig en knäpp på nosen.

- Nu ska du inte känna av någon skadeglädje, Adam, betänk det att de ville att jag levde vidare. Ingen skräphög för mig utan de ville tillskriva MIG möjlighet att leva vidare, det du.

- Jaha, den som skrattar sist skrattar längst, ha, ha, ha, kom det syrligt från Berta.

Toby som åhört hela historien kände att han måste lätta sitt hjärta…

- Just snyggt, ska det bli mer av det här ska jag be att få, huvud-
värkstabletter.

- Varför det? kom den oundvikliga frågan från Sissi som ville
veta det mesta om det som händer och sker i långtradaren.

- Det surrar alldeles för mycket för att vara, god arbetsmiljö,
grymtade Toby.

- Åh, förlåt vännen min men jag ville bara berätta för de andra
om vägen hit, kom det ursäktande från Moby som inte på några
vis ville komma på någon kant med Toby.

- Okey, låt gå för den här gången. Men nu är vi framme vid
ändhållplatsen, skämtade han till det med.

Östersunds Vinterträdgård

När de kom fram till Vinterträdgården står Leif och Direktören där och väntar, men de var inte ensamma. En person från Östersunds flygmuseum var också där, inte bara för att utreda hur utställningen skulle se ut, utan han ville se bilarna och Moby. Varför just Moby? En fråga som kanske kan få ett svar senare, vem vet..?

- Jaha så det är vi som ska kampera ihop då i några dagar, började han lite lätt med att säga.

- Tydligen. Hur hade du tänkt utforma er utställning? Behöver flygmuseet stor plats eller..? undrade Direktören. I sitt stilla sinne funderade han på vad det var kommunen tänkte…

- Nja vi ska ju inte dra in några stora flygplan, precis menar jag. Det vi tänkte göra var att sätta upp en flygsimulator och ett bord med olika modellplan. En annonspelare med information om flygmuseets historia, det är allt. Hur har du tänkt göra då? kontrade han med att fråga.

- Vi har fyra bilar som ska in och skyltar med deras historia på och en som förklarar deras inbördes relation. Vi har även en som visar vilka andra bilar som finns på Bergets Bilmuseum, slutade Leif med att säga.

Innan Leif slutade sin konversation kom någon smygande in i Vinterträdgården. Plötsligt flyger Direktören i luften, då han bakom sin rygg får höra en mörk och välbekant röst fråga...

- Vem är det som skådas i mitt norra öga?

När Direktören landande, svalde han sin svada och frågade något hårt…

- Vad i all världen gör DU här?

- Tittar på en utställning hade jag tänkt om den är klar… svarade han oskyldigt samtidigt som personen i fråga försökte att inte skratta Direktören rakt upp i ansiktet.

- Men DU ska väl inte vara här. Det sista jag hörde var att du befinner dig någonstans i Argentina.

- Det var i förrgår, käre far. Jag har flugit hit för att hämta, få se..., Agneta och Benneth står det på min lapp här. Har du sett till dem?

- De är på hotellet, upplyste Leif honom om. Stadshotellet, de sitter nog och väntar i foajén där, skulle jag tro.

- Okey, då flyger jag dit då, retades han med sin far och lyfte sina armar och svepte iväg därifrån.

- Jaha, ska vi fortsätta med arbetet då..? kom det lite frågande från Direktören samtidigt som han tittade på de andra som stod där något fundersamma.

- Om du säger det så då gör vi det. Hugg i och bär ut skyltarna, var det..., kontrade Leif med i ett försök att lätta upp den tryckta stämning som smugit sig på dem.

Efter den incidenten började de att tömma Toby, som suckade något i sitt lugna hjärta.

- Vad ska det nu bli av, månntro?

- Den som lever får se, tröstade Berta honom med.

- Jaja men vad är det som vi får se?

- En riktig kontrovers kanske, kom det lite förhoppningsfullt från Moby.

- Nehej det är inget vi behöver, vi har haft nog av den varan på den här resan, poängterade Helga.

- Snälla ni, vädjade Toby, inget bråk jag försöker koncentrera mig på vad som händer.

- Det var väl inget... började Adam.

- Tyst, kommenderade Toby.

Sissi som varit i startgroparna till att ställa en fråga stängde munnen med ett – Apps... Vad är det för något som fick Toby att säga så? Vad händer egentligen i Vinterträdgården? Vilka är det som smyger omkring därinne utmed väggarna? En med onda tankar eller någon som bara behövde sträcka på benen, vem är det?

- Killar, sa människan och vinkade till några skuggor som stod och tittade ner på bilarna, den här är det.

- Törs vi, protesterade en av dem.

- Det är ju ingen här, vem kan stoppa oss...

- JAG kom det från en vakt som hade dykt upp.

- Men vi är fler.., protesterade en av dem.

- Kanske.

- Vad tänker du göra då? Ringa polisen eller till föräldrarna våra, det blir svårt eftersom...

- Vad gör ni här? Nått fuffens antagligen men det blir inget av med det förstått, hördes det från en högtalare.

- Var kom det ifrån? sa en av killarna lite skrajt och tittade sig runt omkring för att hitta varifrån ljudet kommit.

- En polisman tillsammans med en vårdare från fosterhemmet sitter inne i övervakningsrummet och nu marscherar vi dit grabbar, kom det bestämt ifrån vakten.

- Men jag ville ju bara provsitta i Adam, jag tänkte inte stjäla den, snälla vaktis.., försökte killen som stod därnere vid Adam att beveka honom med.

- Nepp.., du masar dig upp för trappan och kommer hit.

När alla var samlade där uppe sa han bara...

- Den här vägen var det.., sa han i samma ögonblick som han lyfte armen och lät handen peka mot en dörr.

Vad som hände därinne lär vi väl inte få veta men bilarna och utställningarna gick säkra mot morgondagen. Den första dagen på utställningen kom med höstrusk och ett ihållande regn. Ingen kunde väl då ana vad utställningen skulle råka ut för, allra minst i ett äventyr. Besökande kom och gick men mot eftermiddagen dök ett gäng killar upp, det var dem som hade våldgästat Vinterträdgården natten innan. Men den här gången hade de några vuxna med sig.

- Vi tyckte det var lika bra att de fick se utställningarna i sin helhet när personal var på plats, förklarade en deras närvaro med.

- Eftersom Vilde propsade på att vi skulle hit sen frukost var det lika bra att åka.

- Vem av dem är den så kallade Vilde då..? undrade Båstad när han kom fram till utställningsbordet.

- Jag… ropade någon.

Personen stod bredvid Adam och studerade bilen noggrant och intensivt, natten innan var det han som hade stått bredvid Adam.

- Bilintresserad..? försökte Båstad för att hela besöket skulle kännas normalt för grabben och de andra.

- Mmm…

- Mer då?

- Konst.

- Ritar du?

- Mmm…

- Får man se?

- De är konfiskerade… av henne där, kom det upprört från Vilde samtidigt som han pekade på en av kvinnorna från fosterhemmet.

- När blev de det?

- Nu på morgonen.., som straff för i natt, muttrade Vilde mörkt.

- Vilde, om jag frågar henne riktigt snällt tror du då att jag kan få se dina teckningar?

- Troligen, troligen inte…

- En svår nöt att knäcka alltså men jag försöker ändå.

- Lycka till… Vilde kunde inte säga något annat, men han undrade ändå om den Maran skulle visa bilderna. Samtidigt kände han någonstans inom sig att han hade vuxit, varför viste han inte. Kunde det ha att göra med att någon som Båstad visade honom en uppmärksamhet han inte varit med om förut, i sitt 13 år långa liv. Han var helt plötsligt någon att bry sig om.

Under tiden tänkte Adam för sig själv, att om den där oborstade ungen som står bredvid honom var något att bry sig om, borde väl det i rättvisans namn finnas någon som brydde sig om honom. Adam den stolte och fine amerikanen, damernas Don Juan enligt honom själv. Han hade i alla fall rest runt i världen och överlevt svåra tider, varför Berta vänder honom ryggen nu begriper han inte. Vad är det som är fel på henne nu då? För inte är det hans fel i alla fall, han har ju bara så gott han kunnat försökt att hålla disciplinen på en hög nivå.

- Leif, ropade Direktören, har du sett till Tango?

- Nej, inte sen i morse hurså?

- Telefon från en George till Tango och Båstad, ropade Direktören.

- Båstad står här, han tar det så du kan be att de väntar... kom svaret från Leif.

När Båstad grabbade telefon hördes det på hans röst hur orolig han egentligen var...

- Har det hänt något?

- Det kan man lugnt säga. Vi var tvungna att köra Rose till lasarettet, hjärtflimmer, sa sjuksystern där på akuten, men jag vet inte. Vi ville bara informera er om läget men även fråga om Tango kan besöka Rose. Hon har frågat efter honom vid ett flertal tillfällen...

- Jag ska höra efter, George, om han kan få några dagars ledighet för att besöka Ljusdal. Men jag kan inte lova något såhär på telefon vi hör av oss, mer kan jag inte säga. Ha det bra så länge, far och hälsa till Rose från mig och Tango.

- Vi får nöja oss med det så länge, Pedro. Hejdå.

Efter samtalet frågade Båstad om de kunde åka ner som hastigast till Ljusdal för att få veta mer om vad som hänt med deras nära släktingar. Direktören var lite tveksam till det...

- Ska det vara nödvändigt att ni åker båda två?

- Ja, men för en dag eller två kan väl inte spela nån roll... kontrade Båstad och fick medhåll av Leif som kom fram till dem.

- Neej det gör det nog inte, vidhöll Leif, i alla fall som jag ser det.

- Okey, jag får väl ge mig då men bara för en dag, ni måste vara tillbaka till tredje dagen för då börjar vi packa in grejerna igen.

- Okey, en av oss är tillbaka då, är det ok.

- Ja, vi säger väl så.

Efter det gick Båstad ut för att leta efter Tango, vilket inte skulle visa sig vara så lätt då han inte fanns vid utställningen. I sin frustration ställde han en fråga till Leif...

- Var är Tango, någon som vet?

- Han dök inte upp efter lunch, så mycket vet jag...

- Ähum, ursäkta att man stör, men om det är den långe mörke ni menar, tror jag han fick ett sms och drog iväg i en väldig hast... upplyste en av utställningensgäster som hade hört vad de diskuterade om.

- Genom dörren..., kom det näsvist från tjejen som stod där bredvid bordet.

- Det kunde jag nog gissa själv, svarade Båstad lite lugnare men med en syrlig ton till henne.

- Du kan ju skicka ett sms till Tango och fråga, försökte Direktören med i en mild ton när han väl kommit fram till den lilla klungan. Samtidigt visste han om Båstads ovilja mot mobiltelefoner och dylika saker.

- Den har slutat fungera för idag, ursäktade sig Båstad med i en stilla förhoppning om att slippa ladda upp den, något som han hade glömt att göra under natten.

- Du har bara glömt att ladda upp mobilen som vanligt, eller hur? retades Leif omedveten om att det var just vad Båstad hade gjort. Bry dig inte om det, Båstad, jag kan skicka iväg ett till Tango. Hör med hotellet han kanske har åkt dit i en hast, vad vet jag..? fortsatte Leif med sin tänkbara förklaring till den uppkomna händelsen.

När Båstad hade pratat med receptionisten blev han ännu mer konfunderad..? Vart hade Tango tagit vägen? Inte skulle han väl packa och resa iväg så där utan att meddelat sig till honom eller Direktören, eller skulle han det? Den stackars Båstad stod där i hotellet ganska konfys, men som sagt han hade ju ännu inte kollat sina sms… Båstad traskade upp till deras rum och pluggade in kontakterna så att mobilen skulle börja ladda upp sig, under tiden började han att leta. Ifall Tango skrivit ett litet brev eller någon notis om vart han åkt, men nej han fann ingenting av den varan i rummet. Men innan han gick kollade han för säkerhetskull i Tangos jacka som hängde kvar på en krok, i innerfickan hittade han en lapp "Kolla dina sms".

- Humpf just snyggt, orkade du skriva en liten korkad lapp, kunde du väl göra dig omaket att skriva ner mer, kom det skarpt ifrån Båstad. Att ingen hörde honom spelade ingen roll för nu var han både irriterad och orolig.

Båstad lade tillbaka lappen något förgrymmad på den unga mannens flykt och på orden han skrivit ner i en hast, varför var det så bråttom? Kunde det ha att göra med telefonsamtalet tidigare på dagen. Kanske att lillbrorsan ändå skickat ett sms till Tango om Rose? Det kan vara en förklaring till den hastiga sortin som Tango gjort, för att få någon förklaring ringde han från hotellets telefon till Restaurangen Rose och frågade efter Tango. En receptionist svarade honom…

- Jadå, han har precis kommit in men sprang in på kontoret direkt.

- Kan du koppla mig till kontoret?

- Visst, varsågod…

- Vad har hänt? frågade Båstad snabbt.

- Pedro, mamma har fått en hjärtattack och finns nu på intensiven. Det som sjuksystern trodde var hjärtflimmer, var inte det. Men tack och lov fanns hon redan på akuten i väntan på läkaren när attacken kom. Så snart jag fick reda på det skickade jag ett sms till Tango, han måste ha kastat sig i bilen och stått på gasen för att ha hunnit hit så snabbt.

- Stått och stått, jag var på hotellet när sms:et kom... talade Tango om för Vince samtidigt som han undrade när de skulle åka iväg.

- Ok, hälsa Tango att han kan stanna över natten, jag kommer ner imorgon en sväng. Antar att ni åker iväg nu så hälsa ifrån mig och jag hoppas att Rose klarar det. Båstad kände sig både lättad och orolig, men han visste att själv kunde han inget göra, men att Rose fanns på det enda rätta stället nu. Det enda han kunde göra var att hoppas, hoppas...

Efter samtalet med Vince skickade han för ovanligheten skull ett sms till Direktören där han förklarade läget. Direktören talade med en person och fick utställningen förlängd i två dagar på grund av omständigheterna, för utan Båstad och Tango kunde man inte lasta in bilarna. När man sen så äntligen skulle göra det efter en väl genomförd utställning uppstod det några oväntade problem.

Mot Vilhelmina
men inte utan problem...

- Pssss... Båstad, hördes en röst svagt intill Toby, får jag följa med till Vilhelmina?

- Vem där? hojtade vakten... men är det inte Vilde?

- Jojo, men var är Båstad? Jag trodde han sov i långtradaren, han ville se mina teckningar, försvarade han sig med samtidigt som han sträckte fram några till vakten.

- De här kan jag inte se här ute vi går in på kontoret...

- Men ring inte till Maran, snälla vaktis... fortsatte Vilde att säga med en bedjande blick, en mycket väl intränad sådan.

- Okey då, låt gå för denna gång då. Du har inte gjort någon skada direkt vad jag kan se, sa han, samtidigt som han tittade sig runt omkring lite pliktskyldigt för att kunna övertyga sig om det.

- Vet du var Båstad är då? så att jag kan visa honom teckningarna menar jag.

- På hotellet inne i stan skulle jag förmoda... var vaktisens enda svar. Men vaktisen var nog inte medveten om att Vilde hade börjat dra sig mot dörren, han var alltför upptagen av de otroligt fina teckningarna som låg på hans skrivbord.

- Okey, svarade Vilde samtidigt som han drog sig mot dörren. Han viste inte riktigt vad han skulle göra men han smög tyst tillbaka mot långtradaren för att gömma sig där.

Han stod vid långtradaren och tryckte, samtidigt som han stod där, tänkte han på att kanske försöka öppna dörren eller krypa ner under långtradaren för att gömma sig där... I den stunden dök Tango upp, han hade sovit ovanligt oroligt den natten och gått ut för att lugna sig, stegen hade lett honom till långtradaren...

- Vad gör du här? frågade han Vilde mycket tyst.

- Jag ville visa Båstad... de här, han sträckte fram några teckningar till Tango och väntade tyst med klappande hjärta...

- Hm, det är bra men du kan inte stanna här...

- Var ska jag vara då? undrade Vilde lite desperat. Jag kan ju inte gå tillbaka... började han med att förklara.

- Här hopp in i hytten... och lägg dig längst bak. Du kan dra över dig med filten... så kommer jag och Båstad med lite morgonfika. Han får se dem då, någon bättre lösning kan jag för tillfället inte komma på...

- Det är ok, god natt.

Efter den incidenten gick Tango tyst och fundersamt tillbaka till hotellet. På morgonsidan talade han om för Båstad vad som hänt under natten vid långtradaren. Reaktionen från Båstad förvånade honom något...

- Jaså, han fick loss dem i alla fall. Bra...

- Vadå? Bra... försökte Tango att protestera med fast han inte visste vad det var han protesterade emot.

- Du ska se att killen behöver åka med oss en bit... lägg ihop lite smörgåsar och fyll upp termosen. Vi kommer att behöva det... och inga men, Tango, kom det från Båstad med eftertryck.

När de väl kom till långtradaren började de att lasta in de resterande grejorna som var kvar för att köra till Vilhelmina där nästa utställning skulle äga rum. En extra passagerare till Vilhelmina kommer med på vår färd, Vilde. Hela gruppen var nu samlad för att göra en resa som, säkert i alla fall, några sent kommer att glömma. Den som tog täten för resan denna gång var Direktören och Leif som redan från hotellet hade gjort klart att några stopp på vägen till Vilhelmina blir det inte tal om. Hur det blir med den saken kanske vi kan diskutera? När de kommit en bit ringde Båstads mobil...

- Kan någon ta hand om den där ringande saken...? kom det lite irriterat från Båstad.

- Men det är ju din… kommenterade Tango lite halvskrattande för han var lite osäker eftersom Båstad inte varit sig riktigt lik sen de åkte ifrån Ljusdal.

- Äh, jag vet vem det är…, slå av den jag ringer upp sen… var det enda som Båstad kunde komma på att säga i den stunden.

- Vad är det frågan om? undrade Vilde som tittade upp från sin försenade frukost.

- Det blir lite krångligt att förklara så det låter jag bli. Var det enda svaret de fick av Båstad.

Efter den lilla händelsen förblev det tyst i Tybo ända till Vilhelmina, men i den andra bilen hände det betydligt mer. Det plingade till i Leifs surfplatta som han hade med sig, själv kunde han inte kolla utan det gjorde Direktören.

- Vi har Agneta på tråden… upplyste han Leif om… Är det något speciellt du vill meddela oss om, Agneta? frågade han henne om.

- Ja, det har hänt något ruskigt...

- Vaddå? undrade Leif som inte kunde låta bli att känna en ängslan för sina föräldrar. De befann sig just nu någonstans på vägen från Madrid till Paris, där de varit de senaste två veckorna med Delta.

- De hamnade tydligen mitt i en lång kö vilket resulterade i att hela kön krockade, ja ni vet väl hur nära man står varandra i dessa långa köer. I alla fall så kom Delta att hamna mitt i denna frontalkrock från alla sidor då de stod i en fyrvägskorsning.

- Men hur gick det med Raud och Mammi…, nästan skrek Leif samtidigt som han tvärstannade för han kunde inte köra vidare. Toby som låg bakom var tvungen att kränga ut på den andra sidan av vägen och som tur var kom det ingen på den sidan, puh.

- Det vet jag inte men vi får väl hoppas på det bästa. Fick reda på det alldeles nyss om själva krocken men vilka som överlevde smällen och branden vet jag inte.

- Vilken smäll? Vilken brand?

- Lugna dig, Leif. Vi får kolla nyheterna senare. Agneta, hör av dig ikväll när vi har installerat oss på rummet och Leif har kanske hunnit lugna sig något. Hälsa de andra, efter det knäppte Direktören av plattan och de svängde ut på vägen igen.

Det händer saker i Vilhelmina ...

Den fortsatta vägen mot hotellet i Vilhelmina gick lite ryckigt då de diskuterade för fullt om vad som kunde ha hänt, den ena versionen värre än den andra. På eftermiddagen skulle man ha en liten utställning vid torget och man kan gott säga att tankarna hos Leif och Direktören var långt därifrån. Även hos Båstad måste tankarna ha varit någon annanstans...

- Varför ställer du upp texterna så där? protesterade Leif angående hur Båstad hade ställt upp dessa.

- Vadå?

- Men ser du inte själv hur tokigt det blev...

- Neej...

- Men du har ju satt bilarna i fel ordning... ser du inte det...

- Få se där är Adam och sen har vi... inte Berta... okey det vart lite fel men vem tänker på det? Vi har ju inte bilarna uppställda i alla fall...

- Ska det vara rätt så ska det... vi får ställa om här. Först Helga och Hugo sen tar vi Adam och Berta... så där ja nu blev det rätt.

- Leif... ropade någon från klungan som hade börjat samlats på torget.

- Det låter som Mammi men hur kan hon vara här...

När damen närmade sig visade det sig att det verkligen var Leifs och Benneths mor som kom gående över torget tillsammans med deras far, Raud.

- Vad är det, Leif? Du ser ut som om det sett spöken…

- Vi hörde om Delta… kom det från Direktören som precis hade anslutit sig till gruppen.

- Jamen, vi hade sålt henne till några grabbar redan i Madrid för tre dagar sen, efter det tog vi flyget hem till Sverige, tillade Raud som en liten förklaring till deras uppdykande. Sen tog Mammi vid…

- När vi kom till Arlanda bokade vi biljetter till Vilhelmina för vi visste ju hur er rutt såg ut, så nu är vi här…

- Vi sa inget för vi ville överraska er, avslutade Raud.

- Då sänder jag ett meddelande till Benneth om den goda nyheten, att ni är välbehållna och finns här i Vilhelmina… avgjorde Direktören innan det blev alltför stora kontroverser, eftersom det kom fler och fler som ville läsa om bilarna och se bilderna.

Båstad och Tango hade precis hunnit bli klara med de fyra lådbilarna och plattan där barnen kunde köra runt med lådbilarna. Denna gång hade man inte utannonserat om någon lådbilstävling utan att barn mellan 10-12 år, kunde få köra på en upplagd bana för en femma. Under dagen hade Vilde sökt upp en bekant som bodde i Vilhelmina, där fick han se bilder på en man vid en långtradare. Han tittade på bilden väldigt länge och när han var ensam vände han på fotografiet och där i hörnet stod det någonting… men precis när han skulle titta närmare på det kom någon in.

- Vad är det du ville, Vilde?

- Få veta om hur det är med min mor det enda jag vet är att hon åkte in på ett lasarett, sa man i alla fall, för två år sen.

- Det är riktigt, för cancer och hon kunde inte ta hand om dig då, därför blev du placerad hos Hender. Egentligen skulle du väl ha blivit omplacerad efter hennes död men vi tog det beslutet att vi, jag och min dåvarande man ville ha dig i närheten. Men det har blivit ändrat nu när vi skilt oss, det var därför jag skickade ett meddelande till Hender om att få träffa dig.

- Det meddelandet har jag inte fått, men som av en händelse

kvittrade någon i mitt öra … här gick Vilde inte närmare in på hur han kommit över det.

- Jaså… i alla fall skrev Monica i sitt brev om vem som är din far. Har du sett fotografiet med långtradaren som står på bordet…

- Det här menar du… sa Vilde och sträckte fram fotografiet.

- Ja, på baksidan har han skrivit… med mången tack för vänligheten och kärligheten från Pedro…

- Båstad är det han… här blev Vilde lite upprörd samtidigt som han i hemlighet önskat att Båstad skulle vara hans osynlige far.

- Båstad, vem är det? undrade damen.

- Han kör långtradare och hans riktiga namn är Pedro. Han finns på torget vid utställningen om några gamla bilar…, fortsatte Vilde en aning upphetsad.

- Då kanske vi ändå ska gå dit…

- Vilka vi…, kom det snabbt från Vilde?

- Du trodde väl inte att vi släppt dig vind för våg, sa en röst som Vilde kände alltför väl till Maran, vad gjorde hon här?

- Bli inte ond nu Vilde men eftersom Monica har testamenterat allt till dig, med en liten klausul, så var vi tvungna att ha lite koll på vart du tar vägen…

- Jaha och det skulle jag visst inte få veta även om det berör mig, ha… fnös Vilde.

- I det här testamentet framkommer det att Pedro Dahl nu är din förmyndare och far, det är bara det att vi måste ha tag på honom. Vilket inte blir lätt…

- Det blir lätt som en plätt, kom det glatt från Vilde, vi går till torget för han är där.

- Vaa… det kan väl inte stämma.., vid det svaret började Maran att skälva för hon hade i själva verket börjat fundera över vad hon skulle göra med de 100.000kr som Vilde fått ärva. Klausulen bestod i att om de inte hittade Pedro inom ett år, skulle hela summan förvaltas av Hender till Vildes 18 årsdag, men det var ju inte så säkert att han fick uppleva den dagen. Monica dog visserligen för tre månader sen och de hade inte ens börjat leta efter någon Pedro Dahl, så hur är det möjligt att han är här..?

- Då går vi då, Maran, kommer du med eller hur blir det? Frågan var verkligen berättigad eftersom Maran hade blivit blek som ett lakan.

- Jag stannar nog där jag är, kom det lite krystat ifrån henne. Det hon såg för sin inre syn var att de 100.000kr bara flaxade iväg samtidigt som hon nästan hörde hur Vilde hånskrattade.

När Vilde närmade sig långtradaren hörde han hur Monicas bekant talade med Båstad. Båstad som hade sett att de kom fick en del att tänka på. Han hade av Monicas advokat fått reda på allt om den där klausulen, advokaten skulle försöka ordna med ett sammanträffande med sonen och Monicas bekant, Doris. Det som förvånade honom var vad Vilde hade med denne bekant att göra om inte… här stannade Båstad vid tanken för den var för otrolig, även för honom.

- Hej, Doris heter jag och det här är Vilde… längre kom hon inte utan Vilde tog hand om resten.

- Vi känner varandra redan. Men jag visste inte då om att du kanske är min far, kom det lite försiktigare från Vilde.

- Nej, det visste inte jag heller men är det så får vi väl utgå därifrån för att se hur vi ska lösa hela situationen eller vad säger du, Doris?

- Egentligen skulle det väl vara med Maran men hon har inget med Monicas testamente att göra…

- Inte…? Med denna lilla fråga från Båstad kom en outtalad tanke att hänga i luften.

- Hur menar du nu? Doris försökte här att fiska efter hur mycket Pedro/Båstad visste om Monicas testamente.

- Försök inte, min advokat ringde i förgårkväll och förklarade för mig om Monicas lilla klausul och som gör Hender till förmyndare om ni inte hittar mig inom ett år. Med andra ord har

Maran som ekonomiansvarig då hand om de 100 000 kr som Vilde är berättigad till på sin 18 årsdag. Har jag inte rätt?

- Jo... vid denna klara och sakliga förklaring förstod Doris att Pedro genomskådat Marans försök till att få de här pengarna.

- Maran har bara att packa ner Vildes grejer och skicka ner dessa till den här adressen... Båstad gav Doris en utskrift som han hade fått från sin advokat. Efter resan kommer jag att bosätta mig i Grängesberg tillsammans med Vilde. Det finns inget mer för Hender att göra i denna fråga, kan du hälsa till Maran.

Att glädjen blev stor för Vilde när han hörde det hela kan man gott förstå. Men för Maran som ännu inte visste något om Pedros planer, skulle det komma som ett blixtnedslag utan förvarning. Någon annan som fick ett nedslag var Raud när en polis kom travande över torget med frågor om varför han inte fanns i Delta den där dagen, då hon fanns med bland de krockade bilarna.

- Jaha, ska vi ta det från början eller... frågade den unga polismannen till Raud.

- Visst, men av vilken anledning?

- Det är jag som ställer frågorna och du som ger mig svaret...

- Ett Jeopardy...

- Rolf Arthur Urban Danielsson, var allvarlig nu...

- Jaha.

- Varför fanns du inte i bilen?

- Den hade jag sålt till två unga grabbar i Madrid tre dagar tidigare för 1 000 €.

- Ok, hur såg de ut?

- Vänta ett tag, jag ska bara ta fram fotot från mobilen... här har du killarna. Raud räckte fram mobilen och visade polismannen fotografiet som Mammi tagit när köpet gjordes upp.

- Vem tog det här kortet?

- Mammi, min fru Liselotte, förtydligade Raud, hon tog det från cafét på andra sidan gatan, det var den enda upplysningen polismannen fick av Raud.

- Jaha, då var det nog inte något mer för tillfället, utom... längre kom han inte.

- Ni behöver kortet, till vem ska vi skicka det? undrade Raud.

- Det står på mitt visitkort, sa han bara.

Runt lådbilarna stod Leif och Tango där de såg till att barnen som betalat för ett varv kunde köra runt på den uppgjorda banan. Det var en del barn som ville köra men på grund av åldersgränsen så fick de inte, så det blev en del besvärligheter. Men överlag så hade dagen gått ganska bra och vid eftermiddagens slut hade de inkasserat 100 kr vilket betydde att bilarna har fått köra i 50 varv.

- Vi får nog kolla bilarnas batterier ifall vi måste ladda upp dem menar jag.

- Det kan du nog ha rätt i Leif. Det var tur att Direktörens son tog med sig en ny laddare från Grängesberg i planet.

- Hmm, efter den här dagen är det nog läge för det.

De fick syn på Båstad och Vilde som kom emot dem med ett glatt leende. De hade till och med kaffe och smörgåsar med sig som räckte till dem alla. Efter några minuter dök så Direktören upp med en tårta som blev en avslutning på dagens begivenheter. Efter kaffestunden och vilan började de att plocka ihop från torget, då var klockan redan 17.10, när någon kom springandes. Det var Maran och hon var utom sig av ilska eftersom hennes planer hade gott i kras... Direktören tog tag i Vilde och förde honom snabbt in i långtradarens kyffe.

- Du kan inte göra så här... började Maran men det hela fick ett abrupt slut då Båstad helt enkelt räckte över advokatens papper.

- Läs, sa han kort.

Allteftersom Maran kom igenom pappret förstod hon att loppet för henne var kört, ruskigt kört.

- Okey, ta han då... men lämna honom inte tillbaka.

- Skulle jag inte tro... Hejdå Vilhelmina! sa Båstad och satte sig i Toby och körde iväg från torget.

Resan mot Umeå ...

Efter denna turbulenta dag av olika slag tog man sikte på Umeå och vägen dit, väg 90 och sen ut på 92.

- Vet någon var vi ska vara då? frågade Tango som satt vid ratten.

- En hall av något slag... efter vad jag kunde förstå i alla fall, fyllde Vilde i som fortfarande befann sig i Tobys lilla kyffe.

- Vi får nog reda på det hela lite längre fram ska du se, poängterade Båstad, Direktören är ju inte den som strör runt informationen precis...

- Neej... var det enda Tango sa när Direktören ringde på Båstads mobil som låg inne i kyffet hos Vilde.

- Ähum, telefon farsan...

- Ro hit med den... sa han samtidigt som ett litet leende spreds på Båstads läppar.

- Vad gäller saken?

- När ni kommer fram till Umeå ska ni lotsa er fram till hallen, jag skickar en vägbeskrivning till er på mailen.

- Vänta, vems?

- Din såklart.

- Jaha.., där slutade samtalet för Båstad samtidigt som han funderade hur han skulle komma åt sin mail. Den här nya mobilen var han ännu inte riktigt sams med.

- Äh, sa Vilde, skicka hit den... här letade han igenom menyerna och fick fram Båstads mail. Här är den... ropade han till och visade dem den.

- Ojdå...

- Vad är det? undrade Tango.

84

- Vi får konkurrera med en hundutställning i den mindre hallen bredvid...

- Kul eller...? frågade Vilde som gärna ville se den.

- Det får vi väl se... sa Båstad lite försiktigt samtidigt som Tango svängde in på hotellets parkering där de skulle sova i några nätter.

- Jaha, då lastar vi väl ut en del persedlar och inkvarterar oss innan vi åker till hallen om trekvart... skrattade Tango och hoppade ut från Toby.

Umeå ...

Efter allt pussel hit och dit så intog man dagen efter hallen där utställningen skulle äga rum. Under natten blev lådbilarna laddade med energi för att klara lådbilstävlingarna den andra dagen. I den andra hallen som låg alldeles bredvid dem, hade hundar och deras ledare börjat inkvartera sig på morgonen. Dagens hundutställning hade ett tema Arbetshundar; polishundar, vakthundar och ledarhundar, rörde sig där inne. Vilde kunde inte låta bli att iaktta hundarna samtidigt som han började skissa på en teckning. De andra var för upptagna med bilutställningen för att hålla koll på Vilde.

Den första dagen flöt utan problem med vare sig hundar eller besökande av olika slag, förutom en del skällande. När Vilde såg hundarna kände han en längtan efter att skaffa sig en hund. Vilket Båstad inte var riktigt så pigg på eftersom det fanns en del olösta trådar när det gäller flytten till Grängesberg, som han hade sagt att han skulle göra till Maran. Imorgon var dagen för lådbilstävlingen och hur skulle den se ut? Hade de några tävlande eller inte? Direktören eller Leif hade inte sagt något om det till vare sig Tango eller Båstad. Vid frukosten kastade Direktören fram det som skulle komma att gälla för dagen...

- Angående tävlingen... började han med att säga.

- Ja, hur blir det med den? kom det kort från den morgontrötte Tango, som inte hunnit få i sig de nödvändiga två koppar kaffe som behövdes för att förbättra humöret.

- Om man får fortsätta… så kanske du får reda på det, kom det lite surt från Direktören som denna morgon inte heller hade något bra morgonhumör. Alltså det är så här att vi har haft denna tävling utlyst, redan innan jag och Leif åkte från Gränges, där intresserade fått lämna in sina anmälningar till receptionen på hotellet. De har samlat ihop dessa och lämnade dem till mig när vi kom hit.

- Och… undrade Båstad, hur många ska köra?

- Det blir fem vändor, där vi har delat upp det i kill- och tjejvändor där den sista vändan är finalen.

- Vilka ska köra? Blir det 50-50 eller? undrade Tango

- Inte riktigt, då de som har anmält sig är till största delen grabbar, upplyste Leif.

- För att säga mer exakt är det tre vändor killar och en med tjejer, grymtade Direktören något.

- Jaha det är väl bara att sätta igång då…

- Lugna dig Båstad, jag är inte klar än…

- Vi kan inte ta det när vi kommer till hallen då…? kom det lite frågande från Leif. Leif tänkte i sitt stilla sinne att om Direktören inte kan säga vare sig a eller b utan att trassla till det måste man väl hjälpa honom på traven.

- Nej, det kan vi inte då jag ska iväg till flygplatsen för att flyga till Arlanda. Ni får klara resan till Sundsvall utan mig… Här är en lista som jag gjort över vilka som kör vilken bil och tider. Ni får fylla i de som ska vara med i finalen… i övrigt blir det Leif som får stå för hjulet. Hejdå så länge, avslutade Direktören sitt lilla anförande med.

- Stopp lite? ropade Vilde till.

- Vad… började Direktören med att säga men längre än så kom han inte.

- Varför åker du iväg..? Det har du inte sagt något om, kom det från Vilde som tyckte att det var väl ändå på sin plats att tala om eller..?

- Det är en sak jag måste reda upp som kräver min närvaro… mer säger jag inte.

- Det kan väl inte ha något att göra med olyckan och Raud..? fortsatte Vilde oskyldigt.

- Till viss del kan det de… som den lilla journalisten där sa. Direktören svepte iväg innan någon hann säga något mer

Så intog man då hallen igen för dagens utställning och lådbilstävlingarna, den första av dem skulle börja klockan 14. När klockan var 11.00 kom den första gruppen av förare för att provköra banan och bilarna som de senare skulle köras. Därefter troppade de andra förarna in med en kvarts mellanrum för att göra detsamma, provköra. Efteråt passade man på att för säkerhetsskull ladda upp bilarna inför tävlingarna. En plansch för lådbilsracets tider och vilka som körde, ställdes upp i hallens entré. Vilka som ska ingå i finalen är något som kommer fram när vinnarna från de fyra heaten avgjorts, så att säga.

Lådbilstävlingens bilförare är som följer

Prov	Förare, blå, grön, gul, röd	Körtid
11.00	Pelle, Kvadde, Gregson, Tord	14.00
11.15	Stefan, Lelle, Jarl, Kent	14.15
11.30	Larsson, Keijo, Thom, Peter	14.30
11.45	Letty, Kim, Annabell, Lisen	14.45
Finalen		16.00

Från den andra hallen intill hördes det ett högre skällande än från gårdagen nu när det var sällskapshundarnas tur att visas upp. Inte alla hundar verkar kunna ta det särskilt när lugnt när applåderna kom. En liten rackare till fyrbent trasselsudd kom i full galopp skällandes och hoppade rakt ner i den röda lådbilen, precis i den sekund då Lisen skulle sätta sig i den, för att göra sin provtur.

- Mello, du får inte följa med… Lisen försökte här att värja sig från den ivriga hundens slickande.

- Mello, Mello... ropade några personer som sprang mot den röda bilen som stod klar för att åka runt banan. En av dem tog ett snabbt och bestämd grepp om den lilla kroppen, för att få bort Mello från bilen. Kör nu innan han hoppar in igen... skrattade den yngre av dem som kommit springande.

Frankrike och turbulensen om olyckan...

Under tiden som utställningen pågick hade Direktören med Raud och hans fru nått fram till hotellet i Poitiers. Den vänlige portiern frågade...

- Under vilket namn var det beställt, herrn?

- Cecil Dahl, svarade Direktören lite kort.

- Jaha..., det blir rum 11..., här är nyckeln. Välkommen till hotellet, Cecil Dahl.

- Ett dubbelrum till Raud och Liselotte Danielsson, tack... poängterade Raud vid sitt namn.

- Visst... det blir rum 8..., varsågod och välkomma till hotellet.

Efter att de hade installerat sig uppsökte man ett fik, som inte låg så långt från hotellet. Där träffade de den kvinnliga polismästaren Adéle Chémier för en genomgång. Liselotte visade henne från sin mobil, bilden på de två unga männen som hade köpt Delta i Madrid för 1 000 €.

- Var inte det lite väl mycket för den bilen? undrade Adéle till Raud och Liselotte.

- Jo, kanske men de var villiga att betala så mycket... och ville de ge mig det så...

- Vad har köpesumman med olyckan att göra? undrade Direktören vars namn egentligen är Cecil.

- Det vet vi inte riktigt än, men vid olycksplatsen fanns inte dem här två. Egentligen så fann man ingen i bilen.

- Vad..? ropade de alla tre över kaffet med de små åtråvärda bakelserna, som fiket kunde ståta med.

- Den var tom, bilen alltså och några indikationer på att de befunnit sig i bilen när den välte finns inte... förklarade Adéle till gruppen vid bordet. Efter att den välte så blommade en stor låga upp…

- Vilken sida välte den på… undrade Raud stillsamt.

- Vänster…

- Tanken, sa Liselotte och tittade på sin man med stora ögon, den…

- Ja, den var inte säker och gasolslangen läckte…, på samma sida, upplyste han en aning försiktigt till Adéle.

- Men hur kunde de då i all världen sätta sig i den och köra… protesterade hon.

- Men det gjorde de inte… bedyrade Liselotte och visade på en liten film där de lastade upp Delta på en lång vagn, som drogs av en traktor.

- De här fanns inte med på olycksplatsen… konstaterade Adéle men det kan förklara hur olyckan gick till.

- Hurdå? var Cecil tvungen att fråga då han inte för sitt liv kunde se någon förklaring till det.

- Alltså tänk dig själv, om bilen blev avställd i korsningen och lämnad vind för våg vad händer då när nästa bil kommer och nästa… fortsatte Adéle sin gissning som kanske i sin enkelhet ändå inte var särskilt långt från sanningen.

- Köbildning såklart, men borde inte någon gå ur och kolla vad som står på… protesterade Cecil.

- Inte chauffören i alla fall, sa Raud tvärsäkert.

- Nej, men någon passagerare kunde ha gjort det… kom det hett från Cecil som kände sig något obekväm med situationen.

- Det är bara det att just då välte bilen efter att ha blivit påkörd av en bil som kommit körande ut från N10… bensin rann ut från tanken och som vi nu vet inte låg långt ifrån den läckande gasledningen…, längre hann Adéle inte förrän Liselotte skrek.

- Gode Guud…

- Ja, älskling sa Raud och kramade om sin fru.

- Den explosionen och branden förstörde bilen och den som stod bakom blev svårt bränd.

- Hur gick det med de som befann sig i bil..? längre kom inte Cecil då frågan och tanken förskräckte honom.

- Även om plåten i bilen är svårt tilltygad kan det finnas en gnutta hopp för chauffören men det är inte mer... sa Adéle sakta men inte särkilt övertygande.

Efter fikat åkte de till olycksplatsen för att med egna ögon se var det hände. Huruvida polisen sedan skulle få tag på de två som hade köpt Delta, det visste de ingenting om. Det var något som framtiden fick utvisa, men det såg inte särskilt hoppfullt ut. Under färden dit kände Cecil sig tvungen att fråga Raud om något som hade legat och grott hos honom ända sen Vilhelmina...

- Jag hörde den där polisen rabbla upp en massa namn när han tilltalade dig... och nu har man fått veta att du inte heter Raud... så hur kommer det sig?

- För att göra en lång historia kort. Vid Denker, där jag arbetade mina första år, var vi flera personer med initialerna RD. För att skilja oss åt så fick vi lov att fylla ut våra initialer med flera bokstäver, för mig blev det Raud. Sen dess har man använt det namnet, jag har det numera som mitt förnamn kan man säga.

- På så sätt, ja, det förklarar det hela, tyckte Direktören som å andra sidan undanhållit sitt eget namn, Cecil, för de på Bergets bilmuseum.

När de kom tillbaka till hotellet ringde Cecil upp Leif i Umeå, för att få reda på dagens händelser där och hur tävlingen hade gått.

- Vem vann idag då, Leif?

- En tjej, Lisen. Hon körde förbi killarna lätt som en plätt. Hur har det gått för er då?

- Inget vidare faktiskt Raud får väl berätta senare om det hela när vi kommer hem. Hälsa de övriga.

- Okey.

Här återgår vi till händelserna i Umeå och lämnar människorna i Frankrike till nästa gång vi möts.

Åter till Umeå...

Efter det korta samtalet satte sig Leif ner för att ringa till Agneta om nästa dags händelser, samtidigt som han var nyfiken på hur det hade gått med "utredningen" hitintills.

- Vad blir nästa drag då, Agneta?

- Gruppen ska träffas imorgon vad jag vet, för att titta närmare på vissa händelser som en av dagbokskrivarna hade tecknat ned mycket noga.

- Oj då, är en upplösning nära? undrade Leif nyfiket.

- Ja, det ser så ut.

- Spännande, tycker jag i alla fall.

- Hmm, men hur går det för er uppe i Umeå då? kontrade Agneta med för att dra hans uppmärksamhet mot något annat.

- Toppen, imorgon är det en valputställning bredvid oss och Vilde är lite vild på den, måste jag nog säga...

- Jaså...

- Ända sen incidenten när en valp hoppade upp i den röda bilen som Lisen skulle köra sitt provvarv med, har Vilde pratat helt lyriskt om hundvalpar och bara om det... lite tröttsamt, faktiskt.

- Ni får väl se hur det blir imorgon då, avslutade Agneta samtalet med.

Dagen slutade gott tyckte nog de flesta personerna, men vad bilarna tyckte kunde man fråga sig, de hade fått utstå en del.

- Vad skönt... att få komma in till Toby igen och få vila från hundar och människor... tycker du inte det Sissi? undrade Todd.

- Jo, lite men det har varit en intressant dag och spännande.

Tänk dig att ta kurvorna så galant som Lisen gjorde, vi smekte oss runt…, nästan. Det gick som på räls höll jag på att säga…

- Du sa det nyss…, protesterade Anna.

- Nu ska vi inte bråka det har jag hört nog av, kom det från Bob. Stackars Bob som hade haft en besvärligt dag med de grälande föräldrarna som en av hans förare kommit med.

De andra bilarna fick vara kvar i hallen under natten, där de samtidigt intog en tyst överenskommelse. Att de inte skulle säga något om dagens händelser, som gett många intryck och avtryck.

När morgondagen kom var det ingen vid frukostbordet som tog upp något. Alla hade sovit oroligt under natten eftersom hotellets inbrottslarm började tjuta redan vid 00.30, dessutom hade ett larm kommit från utställningshallen en kvart tidigare. Av den anledningen ville både Båstad och Tango komma iväg. så fort som möjligt för att se om allt stod rätt till, med tanke på bilarna. Tystnaden avbröts av Båstad som undrade lite lätt…

- Är det någon som sett Vilde nu på morgonen?

- Nej, du får allt hålla koll på honom själv, svarade Leif lite snäsigt då hans morgonhumör vid detta tillfälle inte var av den soligaste sorten.

- Jag tror att han har gått till hallen redan, svarade en servitris, om det är Vilde ni frågade om, tillade hon.

- Hur vet du det? undrade Båstad intresserat.

- Han kom ner väldigt tidigt till frukosten, redan vid kl 5.30 och lämnade en lapp till mig som du ska ha… varsågod, tillade servitrisen och gick från bordet.

- Vänt…

- Försent, mister, skrattade Tango och frågade, vad står det på lappen?

- "Har gått iväg för att kolla in bilarna och Toby. Syns i hallen. Vilde" det är allt som står. Det är väl lika bra att dra då, tyckte Båstad.

I samma stund var det en polis som tog till orda…

92

- Vi skulle uppskatta om ni kunde lämna era uppgifter till antingen mig eller i receptionen var vi kan få tag på er. Ert mobilnummer och namn samt orsak till vistelsen här och om ni sett eller hört något under kvällen..., och det innan ni ger er iväg någonstans... tryckte han till då han såg att det var några som hade rest sig för att lämna rummet.

- Jaha, hur var det här då? hördes en stämma bakom Båstad som gjorde att han snodde runt.

- Hej, vi ska bara ge oss iväg till utställningen sen kommer vi garanterat tillbaka, försökte den gode Båstad med men det gick inte så bra...

- SITT..., kom det i en kommenderande ton. Namn och mobilnummer på er alla vid bordet, tack.

Leif tog fram lite papper och pennor som han hade med sig i sin portfölj...

- Det är lika bra att vi skriver ner dem uppgifterna som de vill ha och lämnar in dem, på en gång. Vi måste till hallen och öppna utställningen som börjar om en halvtimme, sa han till polisen vid bordet.

- Vilken utställning?

- Bergets Bilmuseum, veteranbilarna.

- Hm..., då behöver ni dit ganska omgående eftersom det varit inbrott även där... hon tog upp sin mobil och talade med en person som gav personalen till Bergets Bilmuseum fri lejd. Okey, ni kan tydligen gå... sa hon, lämna uppgifterna här bara.

De skyndade sig iväg till hallen för att se vad som hade hänt där. När de kom fram fick de se Vilde prata med en annan polis...

- Jag kom hit vid 5.45-tiden och såg inget särskilt..., bara en massa fotsteg vid Toby...

- Toby...? Vem är det? undrade den något betryckte polisen, som tydligen hade svårt att hänga med i Vildes vindlingar.

- Långtradaren, vem annars?

- Jaså, jaha men mera än fotsteg vad såg du då?

- Inget, det har varit för mörkt.

- Men hur kan det vara det... Det står en lampa alldeles bredvid dig och, hm..., den där Toby? Kom det något protesterande från polismannen.

- Den lyste inte under natten...

- Jaså, hur vet du det?

- Därför att den inte funkar. Den har inte gjort det sen förra veckan enligt vaktisen för hallen, som kommer... om ca en kvart från sin morgonfika.

- När sa han det?

- Igår.

- Ja ja, men när igår?

- Få se det var efter rallyt och innan vi klappade ihop för dagens utställning, någon gång mellan 16,15 och 20,00. Farsan, skrek Vilde till när han såg Båstad närma sig, vilken tid var det som jag pratade med vaktisen kommer du ihåg det?

- Nej inte direkt men han gick väl på sitt schema runt 19 tror jag.

- Han var vid rallyt som åskådare, poängterade Tango för Båstad, Vilde har kunnat prata med honom då också... mer än så kan vi inte hjälpa till med.

- Ja då får det väl vara allt då, suckade polismannen.

- Vad handlade det här om? undrade Båstad till Vilde.

- Någon har försökt att bryta sig in i hallen och spatserat runt Toby. Men någon har legat under Toby, kom... sa Vilde och vinkade till de andra.

När de närmade sig långtradaren upptäckte de en figur som satt där och väntade...

- Har ni hittat honom?

- Vem? frågade Båstad som tyckte det hela började bli en aning tjatigt.

- Ajax, min schäfer... har inte sett honom sen i natt då han slet sig... alldeles här utanför, sa tjejen och pekade mot vägen som gick förbi dörren in till hallen.

- Har du talat om det för polisen? ville Tango veta.

- Neej.

- Varför inte det? Det kan vara viktigt.., fortsatte Vilde att säga samtidigt som han lyfte handen mot Leif och visade honom ett litet smycke.

- Vad är det där? undrade Leif.

- När jag var på hundutställningen så visade ett företag upp reflexsmycken som man kan sätta på halsbandet, Ajax har en eller hade... förklarade tjejen.

- Hur vet du om vi kan få tag på rätt reflexsmycke?

- Det är ett reflexsmycke där Ajax fått sitt namn inpräglat, men nu är Ajax borta?

- Hmm.., var det fler som köpte och präglade in sin hunds namn? kom det lite försynt från Tango.

- Hur menar du? undrade tjejen.

- Jo, alltså om jag förstår det hela rätt uppgav du säkert namn, adress osv.

- Ja, och mobilnummer. De ville gärna veta hur långa turer jag brukade ta och det är så klart att hundmänniskor emellan talar man om var man går någonstans.

- Fråga de alla om det? undrade Båstad som hade börjat ana vart Tango ville komma.

- Nej, men det var en av dem som var mer intresserad av att få veta, tror jag.

- Varifrån kom dem?

- Från någon liten stad i Småland tror jag det var... Nybro... så var det.

- Fanns det inte några därifrån på hotellet...? undrade Leif samtidigt som han tittade på både Båstad och Tango.

- Det har du rätt i… kom det från dem båda samtidigt.

- Är de släkt eller… undrade tjejen till Vilde.

- Ja, det är vi, säger Båstad

- Jaha, konstaterade tjejen lättad.

- Men vi kanske borde upplysa polisen om det hela…

- Javisst, det kan du göra, Båstad, när du ändå säger det så… tyckte Tango.

- Grabbar, vi skulle ha öppnat för en timme sedan det blir snabba ryck nu. Kom det lite andfått från Leif när han kom fram till dem. Kom med här… sa Leif till tjejen som snurrade nervöst på kopplet.

Väl framme vid hallen var det ingen som väntade på dem utanför, så de släntrade in till utställningarna. De gjorde en snabbkik in till hundutställningen, som denna dag skulle handla om hundvalpar. Människorna från Nybro syntes inte till vid smyckesbordet, något som de funderade på, men några andra personer stod där…

- Vad tror du, har de gett sig iväg? viskade Tango till Leif.

- Eller så kanske de inte har blivit släppta än… viskade Leif tillbaka.

- Voof…

- Oj vad du skräms, Vilde, protesterade Tango.

- Vet ni varför de inte är här?

- Nej?

- De har aldrig blivit utsläppta!! Ha, ha.

- Vad?

- Det var de som hade brutit sig in i natt, de kom in i hallen och fortsatte sedan till vaktis kontorsrum. Där förvarades tydligen vissa begärliga saker men de som gjorde inbrottet kom aldrig ut därifrån. Ajax, har vaktat på dem hela natten. Vaktis… ropade Vilde och vinkade till honom.

- Gomorron…

- Men du är ju alldeles slut... kom det från en kvinna vid smyckesbordet.

- Så klart man har ju varit uppe sen 10 igår och inte sovit en blund under hela natten och morgonen... kom det både grinigt och trött från vaktmästaren.

- Du hade ingen hjälp av en viss hund då..?

- Jo, det var tur att den rackaren kom sättandes igår kväll och jagade in dem i det trånga utrymmet. Jag var ju helt själv då kompisen, så lägligt, fått "magsjuka"... grymtade han till.

- Ni kanske skulle ha en hund i alla fall... kommenterade tjejen.

- Jo, kanske... sa han och ryckte på axlarna. Vaktisen vände sig om för att börja gå hem till den kära halmen som väntade på honom.

- God natt och sov gott.., ropa de högt efter vaktisen när han gick hemåt.

Vid hundutställning började en av hundarna att skälla, vilket fick till sin följd att även de andra stämde in i kören.

- Det verkar som att vi får en riktig utskällning på kuppen, grabbar... skrattade Tango.

Även om dagen hade börjat omtumlande på flera sätt så fortsatte den i mera lugna tag. De personer som sålt reflexsmycken och var från Nybro hade inte haft någonting med inbrottet att göra. De hade packat sina väskor och åkt iväg efter gårdagens slut, men de hade engagerat personal från trakten. En av dem som stått vid bordet var från Umeå, det var han som Ajaxs matte hade pratat med. Umeåkillen var dessutom kompis till den "magsjuka" vaktisen som hade destomer på sitt samvete. För övrigt hade en av tjuvarna en dotter som bodde i närheten, som av en oklar anledning varit ute på natten med sin nyligen införskaffade hund, Ajax. Det här fick de veta av en informerad receptionist när de kom tillbaka till hotellet efter dagens slut. De packade sina väskor för att vara klara för avfärd morgonen därpå, då de skulle fortsätta mot Örnsköldsvik.

- Men vi måste hämta upp Direktören på Örnsköldsviks Airport, han kommer inflygandes vid så där 9,30... ville Leif pålysa för de andra.

- Jaha och... undrade Tango.

- Den vägen tar inte mer än en timme så det blir väl inga problem..., tyckte Båstad. Han sitter i alla fall inte i sjön, om han får vänta lite, menar jag. Här kände sig Båstad tvungen till att säga sin lilla mening om vad han tycker om högdjur som tror att han kommer på deras visslingar.

- Om vi åker efter frukosten vid runt 8,30 då hinner vi ju, så vad bråkar ni om... undrade Vilde som kom in precis.

- Du har rätt Vilde... vi kör härifrån vid den tiden. Då är det bara för oss alla att ställa in den tiden så vi hinner med. Efter den slutsatsen satte Leif punkt för närmare diskussioner, i sitt stilla sinne kände han att det skulle bli skönt när Direktören kom tillbaka och tog över.

Örnsköldsvik...

Efter mycket dividerande och inlastning av väskor, påfyllning av mat och kaffe, kunde de äntligen påbörja sin resa. De körde ut från hotellet och in på vägen som ledde fram till Örnsköldsviks Airport. Där var det inte bara Direktören som väntade på flygplatsen, han var där tillsammans med Raud och Liselotte.

- Jaha, Cecil... började Rauds fru Liselotte med att säga men kom inte längre än så då Vilde frågade...

- Vem är Cecil?

- Direktörn, kom det lite mörkt från Raud som inte haft någon trevlig tur i det blå...

- Bry dig inte om honom, han har haft känningar av magen ända sen Frankrike, försökte Liselotte att släta över med. Fast hon var lite orolig ändå över vad problemet kunde vara då hans problem med magen såg ut att tillta mer och mer...

- Jaha... sen visste inte Vilde vad han skulle säga.

- Hur var det med olyckan då? frågade Leif som hade funderat en hel del på det.

- Den var fejkad men varför vet vi inte. Det är inte säkert vi får reda på det heller... konstaterade Raud.

- Det är lite komplicerat... inflikade Liselotte lite försiktigt.

- Jaha, då lämnar vi väl det ämnet då... tyckte Båstad.

- Ja, det gör vi... hördes det lättat ifrån Cecil. Förresten ska väl Raud och Liselotte ta med sig Vilde till Grängesberg nu...

- Ja, vid nästa flyg till Arlanda får vi vinka av dem... fortsatte Tango som tyckte att det skulle bli lite tråkigt nu när Vilde skulle åka.

- Efter Arlanda blir det tåg till Grängesberg där vi möts upp av Cecils fru som lovat att skjutsa oss till det nya kontoret för

Bergets Bilmuseum. Där väntar Agneta och Benneth skulle jag tro… förklarade Raud.

- Och smörgåstårta..? frågade Vilde med en efterlängtande ton. Han hade pratat helt lyriskt om denna eventuella smörgåstårta hela vägen från Umeå fram till nu...

- Hm ja det får vi väl se… ändå, tyckte Raud lite försiktigt fast han visste mycket väl vad som väntade dem där hemma. Den allra bästa smörgåstårtan som muséets nya fik kunde göra...

När så den lilla truppen begav sig av från Airports fina café, satt de andra kvar en stund under tystnad. Var och en med sina tankar och funderingar över vad som skulle hända under denna dag. För ovanlighetens skull sken solen i dag, något de inte hade varit bortskämda med denna vecka…

- Jaha, vad ska hända nu då? kom det lite undrande ifrån Tango.

- Ingenting… vad jag vet, replikerade Leif samtidigt som han gav Direktören ett ögonkast för att se om det händelsevis skulle komma något från det hållet… så att säga.

- Det är just det att vi ligger lite före i schemat…, började Cecil lite trevande, så vad säger ni?

- Om vadå…? kontrade Tango med som undrade vad som nu skulle kunna komma. Vad det än var som rörde sig i tankarna hos "Cecil" så hade han inte gett dem någon närmare information om det.

- Just det, om vadå? poängterade Båstad som inte riktigt gillade halvsagda meningar och någon utfyllnadstaktik, var han inte intresserad av just nu.

- Jag menar bara att om vi har en vecka att spendera, antingen här eller i Sundsvall, kan vi även välja på att åka hem, så vad säger ni? upprepade Cecil sin fråga lite mer bestämt.

- Har inget emot att stanna här för några dagar, tyckte Tango.

- Samma här, kom det från Båstad, som inte kände någon större lust till att dra iväg till en advokat och en fru som han numera låg i skilsmässa med. Det fick räcka med den tid som han behövde spendera telefonledes för att reda ut ormboet. Det enda som grämde honom var grabbarna där nere, men de var ju inte hans egentligen. Båstad hade inte ens varit hemma då de blivit till, under de långa resor som frugan hade skickat honom på. Men hon hade aldrig klagat utan snarare var den som drivit på att han skulle åka. Ja ja det är som det är, bara att ta itu med det och som sagt nu hade han Vilde att tänka på. Vilde som faktiskt är hans enda biologiska son, men Thomas och Nille stod honom ändå nära. Tack och lov för Skype…

- När var det som Agneta och Benneth skulle byta av? frågade Leif då han redan i sina funderingar börjat räkna med att åka hem, kanske… om det går alltså…

- Agneta och Benneth kommer upp till utställningen i Sundsvall där de byter av oss, fortsatte Cecil att säga.

- Jaha… men jag undrar bara om jag kan få åka hem tidigare.., här lade Leif ut en riktig trevare för att se efter om en sådan möjlighet fanns.

- Det skulle väl gå, tyckte Tango, jag menar den enda som vi behöver i så fall är Benneth och det är väl inte omöjligt att han kan komma upp någon dag tidigare …

- Det ska väl inte vara några svårigheter där, eller hur… hjälpte Båstad till med.

- Ser man det så ska det väl inte vara några problem.., konstaterade Cecil med en lättad suck vid sitt nu allt kallare kaffet på cafébordet.

De vinkade av även Cecil och Leif innan de åkte vidare till vandrarhemmet Vindarnas hus för att installera sig på rummen.

- Det är tur att Leif och Cecil gjorde slag i saken och åkte hem.., tyckte Tango. När allt kommer omkring är Agneta och Benneth bättre som handledare och följeslagare, hade han fått känna på…

- Skulle tro att du tycker det ja… var den enda kommentar som Båstad orkade med att fälla innan han rusade ut från rummet. Väl utanför brast han ut i ett högt svallande skratt som ekade ut i nejden, då ett fönster stod på vid gavel i Vindarnas hus.

- Vad är det du skrattar åt nu då? sa en irriterande stämma.

- Förlåt, det var inte åt dig om du trodde det utan..., längre kunde Båstad inte komma då glädjetårarna rann friskt över hans kinder.

- Det var min kommentar, kom det från Tango som kommit ut från rummet, något irriterad på sin boss kanske man kan säga. Vad det var som fick honom att krevera vet jag inte men någonting måste det vara...

- Vem är ni? undrade människan med den irriterade stämman. Han kunde inte se något som kunde vara roligt i den kråksången, mycket mindre luta åt det hållet.

- Tango, presenterade han sig med, enbart för att se hur den kalla typen reagerade.

- Hum, skulle det vara roligt det med? sa människan i det han vände och gick.

- Ok, Båstad om du orkar hasa dig in i kajutan... om man säger så.

- Jag ska bara checka av Toby innan, hm.., inhasningen till kajutan...

När Båstad gjort sin kontroll på Toby gick han för att söka upp Tango i rum nr 8 men han fanns inte där... Var fanns den ungen nu då? De hade planerat att besöka en restaurang som vandrarhemmet hade rekommenderat, men var höll Tango hus?

- Du blev väl aldrig orolig.., hörde Båstad en röst säga bakom sin rygg, när Tango klev in i rummet glad som en fågel skulle man kunna säga...

- Vad har du hittat på nu då?

- Ingenting direkt... jag bara inspekterade utgångarna ifall det skulle börja brinna, det står här att man ska göra det, samtidigt visade Tango på ett papper för att styrka sitt påstående.

- Det där finns på alla hotell.., men är vi klara att ge oss iväg nu innan jag svälter ihjäl...

- Ta inte i, vi är väl inte med i Robinson eller...

- Hm nej, men nu går vi mot de kulinariska rättigheterna, marsch pannkaka...

- Tja en och annan räka ska man väl kunna pressa ner, skrattade Tango och ryckte på axlarna.

Innan veckan var över sällade sig Benneth till vandrarhemmet för att följa med Båstad och Tango på den fortsatta resan till Sundsvall. Där de sedan ska möta Agneta på Café Skonerten, så var det i alla fall planerat, men saker och ting går inte alltid som planerat.

Det händer någonting därhemma...

Vi lämnar herrarna för att planera vidare i Örnsköldsvik och tittar in vid kommunens lilla rådslag därhemma...

- Jaha, är det någon som vet vad utredningsgruppen har kommit fram till? undrade Salvador lite trött då han sovit oroligt under natten.

- Nej, inte direkt... vidhöll herr Halldén.

- Det var väl i alla fall inget ovanligt... frustade fru Halldén mörkt.

- De som vet något är väl ändå dem som ingår i gruppen... så varför är dem inte representerade här då...? kom det från Håkan som tyckte att det hela började likna en hönsgård med fru Halldén som den värsta tuppen.

- Som Håkan säger... har de avböjt. Varför vet jag inte? kom det grubblande från Salvador som om han ska vara ärlig var lite trött på denna konstellation.

- Är det ingen som kan höra med Agneta? Eller finns det någon annan vi kan prata med? hördes det från Håkan. Redan nu hade han fått lärt sig att om man ville ha något gjort fick det bli med hårdare tag än med några försynta frågor.

- Absolut Håkan, det gör vi.., sa Salvador trött, det blir din uppgift att höra med henne. Det var det bästa jag hört på länge. Mötet avslutades med en dunk av Salvadors stora knutna näve.

Utredningsgruppen samlades till ett möte med Håkan och herr Halldén, som var mycket nyfikna på vad gruppen hade hittat.

- Jaha, Kalle, hur långt har ni kommit i utredningen? frågade Halldén nyfiket.

- Vi har precis blivit klara och Lilian ska renskriva det hela. Det har varit vissa kovändningar men det verkar ha löst sig.

- Skulle vi kunna få reda på lite mera om det så vi kan tala om för Salvador hur det hela ligger till? ville Håkan veta.

- Tja, i stora drag kan man säga att Erich dödade inte bara sin dotter det var även tvillingsonen Adolphe och hans medhjälpare. Efter det lyckades Erich ta sig ut men gick fel väg när han lämnade gravkapellet då han tog gången som gick upp till gruvan. Där fanns Travera parkerad och när han kom fram till vagnen då orkade hans dåliga hjärta inte längre så Erich kollapsade vid Traveras hjul. Det var där Bjere, Emelie och Agda Dahl, Erichs fru, hittade honom. Tillsammans lyfte de upp Erich och lade honom i Travera, om han levde vid detta tillfälle eller inte var man inte säker på. Med förenade krafter drog de vagnen till gravkapellet och stängde för ingången med den stora stenen, med den utmejslade bilden på Travera. Om Erich var död när han placerades där eller inte är det ingen som vet, men det kom att bli hans slutgiltiga plats i alla fall. Ja, det var väl i korta drag och mer än så finns väl inte att säga, försökte Kalle att avsluta det hela med...

- Men hur kunde Adolphes fru veta att hennes man var död? undrade Halldén som inte riktigt ville släppa utredningen helt och hållet.

- Där blev det lite knepigt eftersom det inte finns någon notering om att Adolphe skulle ha lämnat, vare sig avskedspapper eller något annat till sin fru. Men i Agda Dahls papper och i hennes dagbok kommer det fram att hon haft kontakt med Adolphes änka där hon meddelat henne om mannens död. Hon skriver i ett brev till änkan om att "låt ett år gå innan du gifter om dig nu när mannen din har dött. Adolphe ligger i den grav som han och hans bror en gång iordningställde åt sina föräldrar, kanske till och med för dem själva. Adolphe ligger där nu ändå tillsammans med sin mor och far." Så man kan väl säga att väninnan hon sa sig besöka var väl i så fall Bjeres fru, Emelie. Antagligen så ville hon vara där för att övervaka det hela och säkerställa att Erich dog, eftersom han inte hade sina tabletter för hjärtat med sig.

- Varför hade han inte… började Håkan men slutade då Halldén högt sa sin tanke om det hela.

- Kanske för att hans vägs ände var kommen.

- Kommen eller inte så dog han, avslutade Kalle lite abrupt, när det gäller hans tabletter vet man inte varför Erich hade gett sig iväg utan dem.

- Han kanske ville få ett slut på det hela.., försökte Håkan med.

- Hmpf, snarare ville Agda Dahl få ett slut på Erichs teater. I Agdas dagbok står det "att hon tröttnat på den evinnerligt då-liga farsen som Erich bedriver i sin envetna dåliga självkänsla, han drev dem alla till ättestupans kant" om man ska citera da-men. Ja, det var väl allt i det stora hela om utredningen och vad vi kom fram till, avslutade Kalle. Nu kilar i alla fall jag hemåt. Hej då med er. Med dem orden kilade han så iväg med ras-ka steg innan någon ny frågeställning hunnit samla sig i deras hjärnor.

- Jaha, då gör vi väl samma sak då eller vad säger du, Håkan.

- Finns väl inte så mycket mer att göra, utom att rapportera till Salvador.

- Ska vi verkligen göra det innan vi får Lilians fullständiga rap-port? undrade Halldén.

- JA, svarade Håkan bestämt, det gör vi.

I direktörens lada…
Uppe på Berget där de andra bilarna stod samlade i en lada hördes det en liten protest från en av de nya bilarna som kommit in…

- Det luktar träflis här... och om man ska vara noga. Är det någon som kan tala om för mig vem den där Helga är som alla pratar om? fnyste polisbilen Jenny.

- Penny, darling om du lyssnade en aning bättre, skulle du veta att Helga har varit polismästarens bil. Jag skulle till och med tippa på att du har jagat henne när Ville körde den? frustade Starwar, en bil där man anade att det fanns filmpengar bakom hans fasad.

- Vänta lite, håll era hästar nu för allt i världen, ungdomar... kom det från Madame Louise som inte visste riktigt hur hon skulle ta paret som precis hade kommit in i ladan.

- Förresten, varför bara lådbilsrally? Kan inte Neta ordna någon sorts veteranbilsrally någon gång... som omväxling menar jag. En tanke som tickat hos Mariana en tid, ända sen hon blivit uppstallad hos Bergets Bilmuseum och som hon bara måste få lufta.

- Hmpf, ett sånt språk... opponerade sig Alfred mot denna sortens nedvärdering av Agnetas strävsamma arbete.

- Språk och språk det är från vår tid... protesterade Mariana vilt.

- Tja, tiderna förändras, men man kan väl ändå vårda sitt språk eller är det någonting som är för svårt för vissa att göra..? kom det lite försiktigare från Tekla som hade smugit sig in igår bland bilarna. Jag undrar mera på vad de tänkt hitta på vid nyinvigningen nu i vår... fortsatte hon med i sin fundering.

- Där fick ni nått att bita i nykomlingar... skrattade Vegas till, som ändå tyckte om det där med veteranbilsrally, det skulle vara kul... som omväxling eller varför inte båda?

Det är något som tål att tänkas på, Vegas, man får tacka för tanken den var inte dum...

Sundsvall...

Benneth, Båstad och Tango gick in på Café Skonerten för att möta Agneta och för att få veta var de skulle ställa upp bilarna. De tänkte beställa kaffe och något smarrigt att sätta tänderna i men icke sa Nicke. Agneta som såg dem komma in i cafét sprang emot dem för att tala om var de skulle åka för att ställa upp Toby. Hon hade fått tag på en bra plats på norra berget som har ett friluftsmuseum med plats för både långtradare och bilar. För att mota en del av knotandet i grind så att säga… Så talade hon om för dem att det finns ett café på norra berget också och en del andra intressanta ställen de kunde besöka.

Solen sken och med den kom en hög och klar luft, lite kylig bara, men något annat var inte att räkna med. Att få vara ute istället för i en hall tyckte nog de flesta av bilarna om, men som alltid finns det de som har en annan åsikt.

- Att vi ska behöva stå här ute i denna kyla är väl ändå lite för mycket, eller vad säger du Helga? protesterade Berta som inte haft det så lätt sedan de for från Grängesberg.

- Berta lilla… solen skiner och vi med den, så låt inte den kalla vinden kyla ner dig för hårt är du snäll.

- Jamen det börjar dra kring hjulnavet så jag vet inte om jag står ut, ville Adam påminna Helga om.

- Tuffa in till danslogen då, där borta, skrattade Hugo och blinkade till med lyset.

- Tror du att de ställer in oss där om det blir regn… undrade Berta.

- Det kanske de gör, man vet aldrig så noga men det skulle vara trevligt eller vad säger du Hugo?

- Onekligen mer spännande än en idrottshall…, blev svaret som Hugo gav till Helga.

- Vi lär väl få se hur det blir med det hela.., men det är skönt att få lämna Toby för en stund, kom det från Adam som gärna ville bestämma saker och ting och ha det sista ordet på sin sida.

- Skönt… vad menar du med det? protesterade Berta som inte var på humör för någonting alls just nu och framför allt inte från Adam.

Bilarna blev avbrutna en stund när Båstad och Tango kom springande med Benneth i släptåget för att flytta in bilarna till danslogen. Agneta hade ringt och förvarnat till Benneth om att ett oväder var på väg. Så av den anledningen blev bilarna inflyttade till logen. När det blev lugnt igen tog det fart i några av bilarna och till slut kunde Helga bara inte hålla tyst…

- Hör ni.., sluta nu, vi är inte här för ordkrig och sura miner, Helga kände att nu får det vara nog med det kalla kriget mellan Adam och Berta. Har ni inget gott att säga så bit i det sura äpplet och håll tyst i klassen…

- Helga det kommer folk och tänk på att vi inte är ensamma… försökte Hugo att påtala för henne. Hugo hade nämligen sett att en Jaguar från mitten av 1980-talet stod där längre in i danslogen som blinkat mot dem en stund.

- Ähum.., ursäkta att jag lägger mig i men ni skulle inte kunna vara lite lugnare… försökte Jaguaren att säga, som så bryskt hade blivit väckt ur sin lugna tillvaro.

- Förlåt… började Berta med att säga men blev avbruten av Adam.

- För vadå om jag får fråga? Jag har ingenting att säga förlåt om i alla fall, så herr Jaguar får hålla för öronen.

- Stopp.., sa Helga uppbragt, nu är du, Adam, tyst. Vi är här för att visa upp oss, och inget annat. Det där att flåsa in i ordkrigens vindlingar som du, Adam, så gärna startar för att visa upp dig, tyst.. sa jag, kommenderade Helga, när hon såg att Adam tänkte ta sats. Berta du låter dig inte luras in i Adams jargong, det är du alldeles för god för, förresten… strunta i honom. Det verkar vara den enda medicinen, för att Adam ska förstå att det finns gränser för vad vi kan tåla av hans dryga, självupplåsta kaka-foni.., avslutade hon.

- Menar du det verkligen, Helga, att jag bara ska strunta i Adam? Berta var tvungen att fråga eftersom hon kände att det ändå var svårt, för de hade ju känt varandra sen Berget. När hon kom dit hade han ändå tagit hand om henne, på sitt speciella sätt, visserligen.

- Ja, du är inte beroende av honom längre, så som du var när du kom till Berget. Utan du kan klara dig själv och det är något som Adam inte kan klara av att se. Det är väl därför som han uppför sig som han gör, kom det hett ifrån Helga som var en aning trött på hela historien och ville få ett definitivt slut på eländet.

- Helga lilla, lugna ner dina upprörda hängslen är du snäll.., försökte Hugo att medla innan kokpunkten var nådd.

- Ähum, får man komma emellan här.., jag vet som sagt inte vad problemet är. Men vad jag vet det är, att om man respekterar varandra och visar förståelse för allas olikheter, brukar det gå bra. Men då gäller det verkligen att kunna lyssna på varandra oavsett, var det kommer ifrån eller från vem. Sen måste jag få fråga, varför måste du, Adam, styra Berta? Varför anser du, Helga, att Berta behöver skyddas? Av vilken anledning håller sig Hugo utanför diskussionerna? Hur kan en tystnad lösa ert problem? Frågorna haglade från Jaguaren och bilarna lade sina tankeveck för att fundera.

- Det gör det inte egentligen, svarade Hugo, utan vi skjuter det bara framför oss. Nej, vi får nog reda ut det hela på nått annat sätt, Helga. Jag är ledsen, men det måste bli så som Jaguaren här säger.

- Jag vet, men hur? kom det lite trött från Helga som kände att det var skönt att någon annan kunde lysa upp problemet.

- Tänk så här.., vad är det som har föranlett att Adam känner som han gör? Frågade Jaguar som de alla nu hade börjat kalla honom för.

- Låt höra Adam sjung ut nu.., uppmanade Helga.

- Jag vet inte om det är något att ta upp, försökte Adam att slingra sig undan med.

- Åh nej, nu snackar du som aldrig förr… backade Hugo upp.

- Jag har mist en vän nu när Berta inte längre behöver mig som förut och jag vill bara vinna henne tillbaka. Men det har jag tydligen inte kunnat göra nu när ni andra lägger er i…

- Adam, hur kan man vinna någon? kom det lugnt från Jaguaren och utan att höja rösten, inte ens en aning.

- Va.., här blev Adam helt ställd för den frågan hade han aldrig tänkt på eller ställt sig…

- Om det är frågan om någon tävling så vilka tävlar du mot? fortsatte Jaguaren sin utfrågning med.

- Öh, vilka hm… här blev Adam tvungen att fundera för egentligen hade han sett enbart sig själv som vinnaren av Berta. Vilka tävlar han emot, nej inte tävlar utan bara försökt dra Berta ifrån till honom själv, det var det som han ville göra. Få tillbaka den gamla Berta och ta bort den nya självständiga bil som hon eftersträvade att bli. Någonting som han, Adam inte kunde tillåta för det skulle försvaga hans stolta hjärta. Att bli överkörd av de tre damerna Helga, Vegas och Madame Louise det kunde han inte bära. Det enda som han svarade med var äsch… till herr Jaguar.

- Det är alltså ingen tävling… konstaterade Jaguaren lugnt.

- Ha, ha nej, skrattade Hugo men jag tror mig veta varför Adam har betett sig så klumpigt åt, ursäkta Adam. Förutom Helga finns det två mycket självständiga damer till på Berget, Vegas och Madame Louise, damer som Berta har kommit att ty sig till mer och mer. Vilket resulterat i att Berta blivit mer självständig och inte längre behöver Adam som förut, hennes bekantskapskrets är inte av den art som Adam gillar. Han bestämmer inte längre över Berta som förut och det är det som han vill återta, Adam tog chansen nu när de inte är med. Trodde han verkligen att det skulle bli så lätt efter allt vad Berta varit med om?

- Det är konstigt hur en del räknar... började Helga med att säga men tystnade när hon såg att ett tyst snöfall duggade tätt. Utanför logdörrarna blev det som ett vitt täcke och det blev bara större sen hörde man barnen ropa högt "Det snöar, det snöar..."

- Hjärtefrågor kan vara svåra nötter... upplyste Hugo.

- Det stämmer men man behöver inte ha någon större intelligentia för att förstå vart Adams strategi leder till... vidhöll Berta, som inte fått någon större positiv känsla utan snarare ett mera bestämt avståndstagande. Hädanefter pratar jag enbart med Helga och Hugo samt "valparna" punkt slut.

- Men... försökte Adam att beveka henne med.

- Nix och nu är det god natt, avslutade Berta. För dagen hade varit jobbig och vad morgondagen skulle föra med sig vet man aldrig.

När morgonen kom låg den första snön på marken, solen den sken från en strålande blå himmel och man hörde hur det skottades febrilt utanför logdörren. Dörrarna flög upp och in kom en liten skara som hade väntat utanför logdörren enbart för att se bilarna, som hade fått stå kvar i logen under hela natten.

- Brr..., hörde man en av besökarna säga, varför kunde inte snön ha väntat lite, en sisådär fyra veckor...

- Ha, ha om fyra veckor är du ju inte kvar i landet...

- Just det.

- Men då har du inte fått uppleva tjusningen med vitvarorna här i landet... sa han och skrattade vidare.

- Den upplevelsen kan jag definitivt vara utan, kom det mycket bestämt och utan prutmån.

- Den här Jaguaren är den med i utställningen? frågade en av besökarna.

- Nej, det är den inte, upplyste Tango till damen som frågat.

- Synd... jag skulle vilja veta mer om den och varför den står här... av alla ställen menar jag.

- Visst men det är i alla fall ett bättre ställe än där Helga stod en gång…, titta på den här bilden, sa en annan av besökarna till damen och pekade på bilden. Ingen trevlig parkeringsplats där inte...

Sjöbodarna i Hudiksvall

Glada Hudik eller...

Besökare troppar in och ut under dagen samtidigt som den första snön som kom igår håller på att smälta bort. Men det är som det brukar vara, den första snön ligger sällan kvar, vid nästa snöfall så kanske den blir kvar... kanske. Agneta sitter på caféet, i akt och mening för att ringa och ta reda på var nästa stopp ska bli. Det enda hon vet är att det blir i Hudiksvall, men var någonstans mera exakt? Är allt ordnat och klart tills Båstad och Tango kommer, när de ska lasta ur grejerna?

- Hej, igen hur går det får ni iordning platsen eller har det dykt upp fler svårigheter? undrade Agneta lite käckt till människan i andra ändan på tråden.

- Jag kan inte lova något, men... skulle ni kunna tänka er att i värsta fall ha en liten kort utställning i en av sjöbodarna som är ledig för tillfället. Den är definitivt ledig i två dagar så vi kan ordna med ett tält utanför som kan skydda bilarna, men för att läsa skyltarna får besökarna gå in... Det är allt jag kan lova i dagsläget eftersom hallen där utställningen skulle ha hållits utsattes för en otäck brand igår kväll, släckningsarbetet har hållit på inpå morgontimmarna.

- Hm, ja jag hörde det av din sekreterare. Men håller vädret i sig nu i veckoslutet också kan det bli fint vid sjöbodarna... Då kommer vi ner till Hudiksvall på fredagmorron för att ställa upp utställningen i sjöboden, som jag antar är tom då...

- Jäpp, det ordnar vi.

Då var det ordnat då, kan man tycka... men ändå ringde det en liten varningsklocka någonstans i Agneta. Det kunde kanske vara bra med en alternativ plats eller... ska man köra vidare till Söderhamn i stället eller... här kom tanken av sig eftersom hon blev avbruten av Båstad.

- Pust, nu är det färdigt? Äntligen…

- Vadå?

- Skilsmässan och alla pappren som har att göra med Vilde… det var inte så lätt men det gick.

- Jag vet inte vad du snackar om men det är ju bra att det har löst sig…

- Löst och löst det vet man ju aldrig men pappren är klara för underskrift om man säger så…

- Jaha, det var väl bra.

- Agneta, vad är det nu du tänker då? Du verkar så avlägsen på nått sätt, problem..?

- Hm, hallen i Hudiksvall har utsatts för brännskador och vår utställning är flyttat till en sjöbod i två dagar. Vi kan enbart ha skyltarna framme och kanske få plats med en bil där inne, jag vet inte…

- Men…

- Hur det sen blir funderar jag på… Ska vi stanna till i Söderhamn för en kort utställning eller köra vidare till Gävle för en längre…

- Jag röstar för en längre i Gävle om det går… kom det snabbt ifrån Båstad. Som tänkte att då hinner han nog titta in till sin advokat och ordna med en del saker på plats.

- Det kanske inte skulle vara så dumt…

Utredningens klimax…

Medan Agneta och Benneth håller på att fundera får den käre Kabish tag på ett brev när han går igenom pappren i vår utredning. Ett brev som låg gömt bland andra papper, ett brev som hade ett sigill men ingen adressat. Det fanns inskannat och registrerat på det register som han sökte igenom, men för att se vad det innehåller… måste han göra ett besök i Stockholm. När han ringer upp Kalle för att bestämma vilken dag som de kunde resa till Stockholm…

- Kabish, trodde du verkligen på fullt allvar att du skulle få åka ensam, va... hörde man Stig förtretat gorma från mobilen som Kalle håller i sin hand.

- Visst inte, men jag tycker nog att det räcker med Kalle... försvarade sig Kabish med. Men vid det här laget borde han veta att ett sådant lent försvarstal inte skulle gå hem hos Stig.

- Vi kanske ska informera Lilian också om ditt fynd, Kabish. Så hon får veta om det hela... det är ju ändå hon som ska göra sammanställningen kom vi överens om. Vad som står i brevet kan ställa utredningen upp och ner eller hur? Försökte Kalle att lugna de två tupparna med... men det är inte så lätt att styra unga herrar, som många kanske vet...

Med de orden ringde Kalle upp Lilian för att rapportera om senaste nytt...

- Hej, ska bara tala om att Kabish hittat ett brev i Erichs lunta, så jag, Kabish och Stig åker ner till Stockholm, för att titta lite närmare på det...

- Jaha och du tror att ni kan lämna mig utanför, aldrig. När åker ni? För jag hänger med utan någon som helst prutmån, så det så.

- Nehej, trodde inte det, egentligen... suckade Kalle. Blir klockan 8.00 bra...? undrade han försiktigt.

- Det blir utmärkt, tjingeling så länge. Efter de avskedsorden lade Lilian på och lämnade Kalle att titta på mobilen, under tiden som han funderade på ungdomarnas hetsiga temperamen. Skulle han verkligen klara av deras tempo?

Morgondagen kom och bilen fylldes av passagerare med riktning mot Stockholm för vidare detektivarbete...

- Jag undrar vad som står där... började Lilian med att säga, men blev avbruten av Stig.

- Snälla du, jag har inte sovit en blund kan vi inte vänta med spekulationerna en stund, protesterade Stig.

- Om du inte har fått din skönhetssömn..., varför skulle du prompt med då? undrade Kabish lite stött.

- Du hade kunnat skicka ett sms och sen ramlat tillbaka till halmen eller hur? kommenterade Kalle med.

- Ja men... med de få orden ville Stig egentligen säga. (Men är jag inte med får du, Kabish, Lilian för dig själv och det var något som Stig för sitt liv inte kunde acceptera.)

- Stopp, nog snackat om det. Kom det ganska kort och bestämt från Kalle, som bara kände att om han inte sätter ett stopp för ungtupparna. Så kommer deras tjafsande om Lilian att genom-syra hela Stockholmsresan. Något han inte hade vare sig tid eller engagemang nog, för att klara av idag.

- Visst, bossen. Självklart, Kalle, svarade Lilian och försjönk i sin egen tankegång om vad brevet kunde handla om.

När de kom fram till arkivet började de leta fram alla handlingar som rörde Erich Dahl. Kalle började med att gå igenom papperen mycket noga blad för blad och mycket riktigt, där låg ett oöppnat brev med sigill.

- Kalle, öppna brevet... öppna nu då, kom det hetsigt och för-väntansfullt från Kabish. I sin iver över att få veta vad som stod i brevet och över vad som var Erichs hemlighet stod han nästan på tå med sina nyfixade tånaglar.

Eftersom Kalle dröjde med att öppna brevet norpade Kabish till sig det och öppnade sen brevet, med något darrande men ändå ivriga händer. Det som träffade Kabish ögon var detta...

"Mina sista ord till Regeringen...
Mitt hjärta är dåligt, jag vet, överlever jag detta möte har jag inte mycket för det, mina dagar är räknade ändå. Vad kan medicinen hjälpa mig nu med? En uppskjuten dödsryckning för en dag eller två, lika bra att få det överstökat ändå, det är ju det du vill eller hur? Är det inte så, Regeringen? Testamentet finns hos Advokat Berg som du vet, så håll till godo med det. Men du vet säkert ändå att allt går till Harald, men håll hans son Gunvald i dina strama tyglar.

Erich"

- Jaha, hur ska vi tolka det här då? frågade Kalle de andra.

- Jag tycker det låter som att Erich var medveten om att mötet där ute vid Snickarens var hans sista…, bedyrade Lilian till Kalle.

- Det verkar som om Agda önskade livet ur honom, hon kanske såg till att han dog vem vet? undrade Stig lite uppgivet. Då han inte tyckte om den tanken att någon skulle gå omkring och önska livet ur folk.

- En sån tur då att jag har med mig obduktionsprotokollet, sa Kabish och vid de orden suckade Kalle tungt.

- Jaha låt höra då… kunde Lilian inte låta bli att säga.

- Eftersom det endast finns skelettdelar efter den döde kan man inte avgöra den exakta dödsorsaken. Men utifrån Erichs döds-position kan man nog säga att likstelheten inte hade inträffat när de lyfte in honom i vagnen. Det fanns rivmärken inne i vagnen som kunde tyda på att någon försökt ta sig ur den, men det är inte säkert att det är Erichs. Hela hans sätt att ligga verkar vara krampaktig och ena handen tryckte mot hjärtat som om han hade fått en hjärtattack. Med tanke på var de befann sig så hade de nog inte hunnit tillkalla någon läkare eller tagit sig dit, för att klara Erich från döden, i alla fall. Tyvärr så är nog den enda troliga scenariot att Erich dog där i Travera. Om det fanns någon klarhet hos honom i denna sista stund när de rullade in Travera i gravkapellet, vet vi inte, men det är inte troligt. Att de placerade honom tillsammans med de andra var nog det lämp-ligaste stället. Men man undrar varför inte Agda ville ge honom en anständig begravning? tillade Kabish till sitt lilla anförande.

- Varför undrar du det, Kabish? frågade Kalle.

- Jamen om hon hade ett sånt besvär med att göra sig av med killen fanns det väl ingen anledning att dra in de andra i hennes lilla affär, eller… kom det lite spydigt ifrån Stig.

- Vadå för affär…?? frågade de andra för det här var något som Stig inte hade yttrat ett ljud om.

- Asch, det kom fram på ett litet papper i Agdas dagbok som

jag läste här.., försökte han slingra sig undan med men se den gubben går inte när Kalle är med.

- Tjafsa inte utan kläm fram med det... nu, det här var något som inte bara Kalle ville veta utan också de andra, sätt igång... blev startskottet från Kalle.

- Ja, när jag läste i dagboken så ramlade ett gulnat papper från en Sören Altergren om att han väntar vid det stora trädet kl. 21, som vanligt. Han skriver min älskling, jag väntar och längtar till den dag det blir vi två... det är daterat till 19/4 1921. Det här papperet hade inte blivit inskannat till oss för utredningen, men när vi ändå är här tog jag mig en titt i det. För som Kabish sa är det underligt att änkan inte gav mannen en hederlig begravning. Det skulle kunna vara en anledning... avslutade Stig sin lilla föreläsning, något som han inte var direkt bekväm med.

- Det stora trädet skulle kunna vara det vid gruvan, där har det stått ett gammalt stort träd som många kärlekspar har ristat in sina namn i och där man träffades i hemlighet. Det vet jag att mormor gjorde när hon träffade morfar... upplyste Lilian de andra om.

- Hm, så det kunde alltså ha gått till på det här sättet, började Kalle att summera. Erich Dahl har ett möte med sin dotter och tvillingbröderna. Men det är bara en av dem som kommer och för att fylla ut antalet tar de med en lärling... som tydligen inte är alltför smart. Men jag undrar ändå...skulle inte Erich ha sett om en av bröderna fattades?

- Han kanske tänkte sig att klara av honom senare eller så försäkrade de att familjen gett sig av... möjligheterna är många, ville Kabish framhålla.

- Det är möjligt. Men de har stämt träff med Agda Dahl och befinner sig i Snickarens lägenhet där de kan se när de kommer gående. Några följer efter när Erich och de andra går ner mot gravkapellet antagligen för att se vad som händer. Sen när Erich lämnar kapellet och tar den andra gången vet de var de har han. Eftersom Erichs hjärta inte är så starkt och med dödskjutningen av tre personen i kapellet blev det kanske för mycket, kan jag tänka mig. Vid gruvan väntar eller kommer några för att se vart Erich tagit vägen och då får de se honom ligga där troligen på grund av hjärtat. De lyfter in honom i vagnen, upptäcker antingen att han redan är död eller i alla fall inte är långt därifrån. Skjutsar ner vagnen i gången och fram till kapellet där de ställer in den och täpper för öppningen. Efter det lämnar tvillingbrodern och hans familj Berget, Agda lämnar sen dödsbeskedet till Adolphes fru. Det troliga händelseförloppet som Kalle sammanställde, var det ingen som opponerade sig emot.

- Så då är vår utredning klar då...? undrade Stig.

- Ja, kom det lite kort från Kalle, och nu mot restaurangen marsch...

Medan de sitter där i restaurangen och fyller på energin så återvänder vi till händelserna vid en av Hudiksvalls sjöbodar. Där tog man beslutet om att åka till Gasklockorna i Gävle efter att ha haft en kort utställning i Hudiksvall. En utställning som kunde ha gått riktigt illa när en grupp killar tågade emot sjöboden. En av killarna slängde iväg en skylt, den om Berta, men när Båstad ställde sig i vägen för honom och hävde upp sin röst...

- Har inte du annat för dig än att kasta iväg skyltar, Thomas? frågade Båstad.

- Nej, men du kanske...

- Hämta skylten... NU, kom det barskt från Båstad.

- Äsch, det behövs ingen skylt till den där lilla saken...

Pang, och en örfil hade flugit iväg och träffat sitt mål.

- Aj, aj, sådär kan du väl inte göra, farsan.

- En sån tur då att jag inte är din biologiska far, men jag har då inte lärt dig att uppföra dig som en vettvilling... men det kanske din mor har gjort.

- Men hon ville att jag skulle ställa till lite tråkigheter för utställningen, det var därför jag var tvungen att åka hit.

- Skyll inte på det nu, du kunde ha sagt nej, Thomas.

- Jag ville bara ha lite kul i eländet... försökte han att förklara sitt agerande med.

- Det var då inget trevligt sätt att ha roligt på, sa en äldre dam och hytte samtidigt med den knutna näven mot Thomas som backade en smula.

Under tiden som de stod där och argumenterade gick den ena efter den andra in och tittade på utställningen. En av dem som smög sig in var en liten parvel på åtta år, den här dagen var det Helga som fick stå inne i sjöboden.

- Här är den... bilen. Är det säkert att du inte känner igen den, fassan..? frågade tjejen oroligt.

- Ja du har nog rätt, samma sort av bil, samma nummer som på fotografiet.

- Är det något som jag kan hjälpa er med? undrade Agneta.

- Den här bilen, Helga, har vi fotografier på där hemma som vi fått efter Ville Hendenberg.

- Det stämmer nog för han har kört den här bilen, skulle vi kunna få se en del fotografier? frågade Agneta.

- Jag hade rätt, jag hade rätt... skrek tjejen och hoppade runt i sjöboden av glädje.

De som fanns i lokalen kunde inget annat göra än att le åt flickans iver, över att ha fått rätt.

- Det skulle väl kunna ordnas med en del av dem, fortsatte mannen med att säga. Samtidigt som han funderade ut vad detta skulle kunna betyda för finanserna.

- Här kan vi säkert ordna med något sorts ersättning för att vi får använda bilderna, inflikade Agneta.

- I så fall ska det nog kunna ordnas utan tvivel, bedyrade han.

- Om vi kunde få namn och mobilnummer så att vi kan höra av oss om det...? frågade Agneta.

- Javisst, Per Andersson...

- Det är väl inte Kerstins son som vi har äran att prata med? undrade Benneth som kommit fram till dem.

- Jo, kom det lite trevande från Per, men min mor dog för flera år sen och jag har bara några bilder kvar från tiden på Berget. Men bilderna på bilen Helga skulle jag kunna kopiera och skicka till er...

- Då tror jag nog att vi har ditt telefonnummer där hemma om du inte har bytt nummer?

- Nej, det är samma mobilnummer som jag har haft i 10 år.

Gasklockorna i Gävle

Gasklockorna i Gävle...

När sjöboden stängde för dagen började, Båstad och Tango, med att plocka in skyltarna och köra in Helga i Toby. Allt som behövdes göras inför kvällen och natten såg de till att göra. De andra förberedde sig för morgondagens färd mot Gävle.

- Benneth, ser du till att packa ner kartorna till Gasklockorna, hojtande Agneta till honom.

- Packa själv, tyckte Benneth som stod och funderade över var i all världen hans sockor har tagit vägen?

- Hallå, hörde du inte vad jag sa...

- Mina sockor...

- Har de krupit iväg för dig?

- Neej, äh försök inte, Agneta, retas inte i alla fall inte nuu...

- Få se hur var det nu tvättade du inte upp dem igår kväll?

- Jo, men.., vid denna påminnelse från Agneta slog en tanke honom att sockorna kanske fanns kvar i torkrummet. Benneth sprang ut ur rummet och ner till tvättstugan som var tillgänglig för gästerna på hotellet. Hoppas, hoppas att de är kvar där... tänkte han under tiden som han sprang ner till tvättstugan.

- Jaha, tjing då, ropade Agneta till Benneth. Efter det att Benneth sprang iväg gick Agneta till byrån och öppnade en av de mindre lådorna, där låg sockorna. Karlar, kunde man höra från Agneta, ska det vara så svårt att öppna en byrålåda?

Här låter vi dem få fortsätta med sitt lilla dilemma ifred... Men vi kan höra efter vad bilarna tycker om att få lämna Glada Hudik för Gasklockorna i Gävle?

- Vad säger du om det här då, Berta? frågade Adam lite milt.

- Åh nej, försök inte med mig! Fräste Berta tillbaka.

- Oj, Oj kan ni inte uppföra er, suckade Helga som ändå hade hoppats på att Jaguaren ifrån Sundsvall ingjutit lite förnuft i de bägge bilarna.

- Gasklockorna i Gävle, låter intressant. Det blir något helt annorlunda än de ställen vi hittills har besökt, tilllade Hugo lite förväntansfullt. Han måste medge att Helga ändå hade rätt i att det hela började bli en aning tröstlöst och jobbigt med Bertas och Adams nabbande.

- Jaa och jag hoppas att de lägger en annorlunda bana för oss lådbilar att tävla på, inflikade Bosse.

- Ska du gasa på riktigt ordentligt då, hade du tänkt? frågade en skrattande Sissi.

- Akta dig, Sissi, så att det inte blir en till Berta och Adam, kom det varnande från Todd.

- Aj, aj, ska komma ihåg det. Men någonstans måste vi väl kunna ha lite kul eller? protesterade Sissi.

- Visst, men låt det bara inte gå ut över andra... kom det snusförnuftigt från Anna.

- Nejdå, jag ska inte göra någon Adam, försäkrade Sissi.

- Säg inte för mycket bara... varnade Todd och Bosse.

- Sluta nu kära barn... kom det lite uppgivet från Helga som började tröttna på allt kiv mellan både bilar och lådbilar.

- Hu, nu börjat det låta tråkigt... började Berta med att säga men hann inte längre eftersom Toby var tvungen att göra ett tvärstopp.

- Vad i all världen är det som händer? gruffade Adam högt.

- Har ingen aning... kommenterade Berta oroligt.

- Bara det inte är något allvarligt där ute på vägen... kom det lite oroligt från Hugo.

När de kört en bit blev Tango tvungen att sätta ner foten på bromsen eftersom det skett en olycka ganska nyligen på E4. Den stoppade upp Tybos framkomlighet eftersom körbanan blev mer eller mindre blockerad och så pass omfattande, att Tybo inte kom fram.

- Vad i... började Tango med att säga när han blev tvungen att trycka ner bromsen så hårt han kunde för att få stopp på Tybo.

- Öh, vadå? frågade en något yrvaken Båstad, som hade nickat till en aning där han satt bredvid Tango.

- Du har två ögon att se med... titta ut själv, kom det något argt ifrån Tango. Här blev de båda avbrutna av att det knackade på dörren in till förarsätet där de satt, inte en direkt lätt knackning men...

- Ursäkta herrarna men körbanan kommer att stängas av här och väntas blir körbar först senare idag fram på eftermiddagen... informerade en ung polis.

- Jaha, hur gör vi då? frågade Tango.

- Ni kan backa till korsningen en cirka fem meter bort och kör sen mot Iggesund. Följ vägen mot Njutånger, den gamla E4:an. Efter Njutånger kan ni åka ut på E4:an om ni vill...

- Hur långt då efter Njutånger? om du ursäktar att jag frågar säger han en aning frusterat.

- Ska vi säga vid Enånger då...

- Det finns ingen mer ånger sen... talade Båstad om för Tango.

- Jaså... kommenterade Tango.

- Tango, vet du om Agneta och Benneth har åkt från hotellet än?

- Jag tror inte det?

- Okey då ringer jag upp... och talar om att dem får ta en annan väg så de kommer fram till Gävle... konstaterade Båstad.

- Japp så får det bli... efter det så backade Tango och körde in på vägen mot Njutånger...

Efter den incidenten förflöt körningen under lugnare former fram till Gasklockorna i varje fall i Tobys förarhytt.

- Hmm, vi har visst kommit till slutmålet för resan, grymtade Adam.

- Prata ur skägget, gosse, replikerade Sissi, den pigga lådbilen.

- Var inte så näsvis min unga dam... längre kom inte Adam förrän Hugo avbröt honom.

- Börja inte nu igen... vi har annat att tänka på, kom det från den fundersamme Hugo.

- Som vadå? hördes det från Todd och Bosse något nyfiket.

- Kanske Hugo tänker på det som händer utanför lastbilen... kom det något besvärat från Helga.

- Hörrudu vad är det med dig? Inte ska väl ni två börja bråka som Adam och Berta heller... tyckte Sissi som kände att de om några kunde väl ändå hålla sams som det strävsamma par de var.

- Nej då, Sissi, vi ska inte bråka men ibland kan även ett strävsamt par gå varandra på nerverna... och med det blängde Helga med strålkastarna på Hugo med en menande suck.

- Ja ja nog om det, men jag vill bara poängtera att det inte är med glatt hjärta jag återser Gasklockorna...

- Jaså, var det inte någe annat... då kan vi nog överleva det Sissi, sa Todd till henne och dem andra bilarna.

- Puh, det låter bra för jag vill inte ha någon mer störning på fronten.., med de orden tryckte Sissi verkligen på en öm punkt för vissa.

Det var inte bara lådbilar och bilar som hade en tanke om det även Toby verkade dra en suck av lättnad. För som sagt det räckte med det som var av problem, Adam och Bertas var tillräckligt, det behövdes inget mer.

Vid hotellet fortsatte man att packa och samlade sig för att börja köra iväg när de blev uppringda och fick veta om olyckan på E4:an. Den där olyckan gjorde att de fick lov till att ta en annan väg...

- Jaha, vem kör, du eller jag? frågade Benneth syrligt.

- Med tanke på ditt humör nu på morgonen är det nog bäst att jag kör, konstaterade Agneta när hon satte sig på förarsidan. Vär där räckte hon ut handen efter nycklarna som Benneth stod och viftade med.

- Okey då, var det enda Benneth sa när han klev in på passagerarsidan och räckte över nycklarna, något motvilligt. Men kör för allt i världen lugnt och sansat, vi är inte på någon racerbana nu.

- Ska försöka komma ihåg det… sa hon samtidigt som hon drog till i handbromsen och bilen snurrade runt ett halvt varv.

- Hjälp…

- Vi ska ditåt, var det inte så? undrade Agneta och pekade bortåt vägen.

- Hmm jo…, gruffade Benneth och kröp längre ner i sätet.

Man skulle tro att åt vilket håll färden mot Gasklockorna skulle vara när en historia var avklarad, men än hade de inte kommit fram. Det var något som Sissi bara måste få veta, hennes nyfikenhet gjorde att hon ville veta vad Hugo hade tänkt på…

- Vad var det som hände vid Gasklockorna, Hugo? frågade hon väldigt lent.

- Det är länge sen, inget att ta upp, försökte Hugo att slingra sig undan med och gav Helga en desperat blick efter hjälp. Men denna gång verkade det som att Helga inte ville se det…

- Hugo, säger man a får man lov till att säga b… var det enda han fick som svar samtidigt som hjärtat hos Helga blev tungt.

- Ja men det var inget började han i sin desperation…

- Hugo, kom det något kallt ifrån Berta, nu talar du om som det var inga krusiduller här inte… fräste hon till med.

- Opps, damen har tuffat till sig… hörde man en förvånad Adam säga men ändå en aning förväntas fullt.

- Ja ja, en får väl lägga korten på bordet. Det var så att Ville körde mig till Gävle för han hade avtalat med en man om att de skulle träffas vid Gasklockorna.

- Varför åkte du Hugo? Borde det inte ha varit med Helga som den där Ville körde? Kom det lite fundersamt från Bosse.

- Visst, men det var bara det att Ville hade ställt mig på en hel-renovering, förklarande Helga. De som skulle fixa mig inväntade en sändning med nya delar till mig.

- Ja och därför lånade Simon ut mig till Ville för resan. Den han skulle träffa var en högt uppsatt person som hade en väldigt tjusig bil. Ni skulle se henne, vilka linjer...

- Ähum... kom det lite påminnande från Helga.

- Men bilen hade fina linjer, protesterade Hugo, och hon spann som en katt. Den motorn måste ha varit något extra... Men den damen var inte någon trevlig tjej...

- Inte?

- Nej, när jag körde in på parkeringen och Ville ställde upp mig så fint bredvid henne så sa hon bara... "Kan min herre röra sig något längre bort?" Hur skulle jag kunna göra det min chaufför hade ju redan klivit ur. När jag sa det så kunde man nästan höra ett morrande ljud och jag tror att hon drog upp grillen mot min sida, till och med... hu, hon blev otäck. Det drog som en kall vind mellan oss bilar, det ända jag ville var att få komma därifrån. Så Helga lilla, min vän du behöver inte vara orolig för de fina linjerna, hon var ingen trevlig bil. Förstår ni nu varför Gasklockorna inte är något trevligt minne, för mig.

- Den damen vill jag inte möta, höll Adam med om. Men henne lär vi väl inte möta nu eller hur?

- Nej, det är väl inte troligt.., och med det så pustade Hugo ut.

Nu svängde de in på parkeringsplatsen vid Gasklockorna och Båstad hoppade ut från sin sida. Det första han gjorde var att sträcka på sig för att ta en blick på Gasklockorna. Det fanns en informationsskylt längre fram och han vinkade till Tango för att få honom att komma med dit. De vandrade dit för att se var huset låg där de skulle sätta upp utställningen. När de kom fram fick de tag på en vaktmästare som kunde förklara hur de skulle köra för att kunna lasta av bilarna och annan utrustning.

- Jaha då är det väl bara att rulla upp ärmarna och få ut rackarna då... skojade Tango lite med Båstad som hade mulnat lite.

- Hm ja visst... ska bara läsa det här messet... men börja du så kommer jag sen.

- Okey.

Vad som stod i det där messet måste ha gjort Båstad lite orolig, för resten av dagen var han sig inte riktig lik. Bilarna lastades av och forslades in i hallen där utställningen skulle gå av stapeln och hålla på under si så där 1,5 vecka. Skyltarna ställdes upp vid bilarna och allt ordnades för att bli en av dem bästa utställningarna som de haft sen de lämnade Grängesberg.

Men det var bara det att Sissi kände på sig att inte allt ändå blivit sagt om den där händelsen som Hugo upplevde den där gången. Hon tog sats för att ändå drista sig till att fråga...

- Jag skulle ändå vilja veta... började Sissi lite lätt.

- Inte nu Sissi... kom det lite uppgivet från Hugo.

- Jo, nu när vi ändå står här och inget annat kan göra kan vi lika väl tvätta lite byk... kom det snabbt och obestridligt från Berta och till råga på allt höll Adam med henne.

- Jo, vi gör precis som Berta säger.

- Ja men...

- Det är ingen idé Hugo lilla, att du försöker slingra dig. Det går inte så det är lika bra du får ur dig eländet som du bär på... uppmuntrade Helga.

- Vadå för elände? frågade Todd lite nyfiket.

- Min stolthet över att få vara den finaste Saaben på Björnberget. Hennes ton markerade att hon var av en kaliber som stod långt över mig. Dessutom var jag inte ens värd att vara smutsen under hennes hjul. Det grinet och de ögonkast hon gav mig på parkeringsplatsen fick mig att må riktigt illa. Kylan var hemskt från den damen, en kall beräknande bläckfisk det var vad hon var. När hon och hennes chaufför körde bort från Gasklockorna kom solen fram och värmen började komma tillbaka. Vad det var för hemsk individ som Ville pratade med vet jag inte. Men när vi åkte därifrån var det med ett lättat hjärta…

- Stackars Hugo, och detta har du burit på i alla dessa år? tröstade Helga honom med.

- Du är inte arg då? kom det lite försiktigt.

- Nej, det är ju så längesen men du kunde ha berättat det tidigare…

- Men jag var inte så säker på hur du skulle ta det, Helga.

- Jaha nu blir det bara käbbel hit och dit, jag orkar inte med det…
Bertas röst skar som en kniv i denna rosenanda som Helga och Hugos lilla konversation var på väg till. Berta orkade inte med att höra på detta.

- Avis, Berta… var det en liten röst som sa. Den rösten tillhörde Anna som anade varför Berta inte ville höra mer av detta trevliga småprat.

- Tyst med dig, sköt du ditt… och god natt. Kom det strängt från Berta som ändå tyckte att det frestade på att hålla denna fasad uppe.

- Sov gott och dröm söta drömmar, spädde Bosse på med.

När morgondagen randades så öppnades dörrarna till den första dagen av utställningen. Den första som kom in var en äldre man och han gick runt bland bilarna, tittade på dem ingående och fastnade för Hugo…

- Har inte jag sett dig förut…? mumlade han lite förstrött och gick ett varv. Jo, är inte det samma nummer… eller kommer jag ihåg så fel… med det så kliade han sig i huvudet under den fina hatten som satt lite på sned.

- Är det något som du undrar över? frågade Båstad.

- Joo, men det är säkert fel…

- Vadå?

- Det var under ett besök i Gävle för länge sen som jag råkade parkera på en plats vid Gasklockorna. Då fick jag se en liknande

SAAB bredvid en otroligt snygg bil. Kommer inte ihåg bilmärket nu? Men det såg lite speciellt ut med dessa två bilar stående bredvid varandra, det var väl därför jag iakttog dem.

- Jaha, jag kan fråga Agneta om hon vet något om det hela?

- Kan du det? frågade mannen något förtjust, det ska bli trevligt om det går att få veta det.

- Agneta, ropade Båstad för att få hennes uppmärksamhet.

- Vad är det frågan om? kom det lite undrande från henne när hon började närma sig dem.

- Vet du om Hugo har varit till Gasklockorna i Gävle tidigare? kom det från Båstad innan hattmannen kom sig för med att fråga.

- Ska se efter om det finns någon anteckning om det… och med det vände Agneta på klacken och gick mot entrén för att få tag på sin laptop.

- Var kan vi få tag på dig om vi hittar något? frågade Båstad till mannen med hatten.

- På Stadshotellet, Jakob Fender är namnet, rum 404. Tack så mycket, sa han och med det lyfte han på hatten och gick sin väg.

- Vad var det för en typ? undrade Benneth som hade kommit fram till Båstad.

- Det vet jag inte, men han heter tydligen Jakob Fender.

- Jaså, han får heta vad han vill i och för sig, men det var inte det jag ville fråga dig om…

- Vad gäller det då?

- Tango ligger väldigt illa till…

- Nejdå, han ligger där han ligger och blir väl omskött av en brud på hotellet.

- Han har fått influensan…

- Ser inte bättre ut, men det kan inte hjälpas han får hålla sig till sängen de närmaste dagarna.

- Grabbar, det finns ingen anteckning om någon resa till Gävle men det står någon knepig kråka där, någon som kan läsa det? undrade Agneta.

- Jag tror att det är en förkortning, utl. V? Men det verkar som det bara gällde för en dag 25/5, kunde Benneth inte låta bli med att poängtera.

- Är det så att Hugo kan ha varit utlånad till Ville, för en dag? försökte Båstad lite försynt med att säga till Agneta.

- Men det finns ingen notering om varför eller vart han skulle köra… opponerade sig Agneta. Hur ska vi kunna få reda på någonting om det…

- En dagbok kanske, om Ville nu skrivit någon sådan förstås… kom det lite tystare från Benneth som inte glömt resan ner till Gävle. Den satt fortfarande i hans halsgrop och lär väl sitta där ett tag. Hädanefter tar han hand om ratten, definitivt. Rallybrudar...

- Vi får väl lämna beskedet till Jacob Fender att vi inget kunde hitta som med säkerhet styrker var Saaben befann sig den 25/5, vilket år är ett frågetecken. Vem kan lämna beskedet? undrade Agneta.

- Det kan jag göra, kom det frivilligt från Båstad.

- Hälsa till Tango i sjuksängen att inte köra för hårt med bruden på hotellet…, kom det lite retsamt från Benneth.

- Ingen risk, han ligger där han ligger för tillfället med 39° feber… med det vinkade Båstad och gick iväg till hotellet.

- Jaha, det är väl allt man kan säga men för att återgå till dagens äventyr på nervägen... kan du vara lugn, Benneth. Jag ska inte dra iväg med dig sittande som ett nervknippe bredvid mig någon mer gång.

- Kan man lita på det?

- Nej, men... med det så ryckte Agneta på axlarna och vände sig mot en besökare...

När kvällen kom och natten lägrade sig över Gasklockorna så tittade nattvakten in för att göra en koll innan han satte sig vid pulpeten.

- Jaså, började Hugo med att säga, den där med hatten var där. Det var intressant...

- Vad menar du? kom det lite sömnigt från Helga.

- Jag såg honom inte, men han kan ha varit där som chaufför eller den där medhjälparen som satt i bilen vid tillfället...

- Vem då? frågade Sissi nyfiket och med en krypande känsla av otålighet över att det här kanske kan bli spännande.

- Jag såg honom inte riktigt men det var en man som satt i bilen, när Ville pratade med en äldre person. Sen när Ville hade pratat klart så hoppade människan över till mig och följde med hem till Grängesberg. Men kommer jag ihåg rätt så kallade Ville honom för Hermansson... inte Jakob Fender om det nu är samma person.

- Det var knepigt, Hugo. Kan du begripa varför han vill veta om du var där? Jag menar förutom att det kanske var han som åkte med dig hem, funderade Todd lite stillsamt vidare...

- Men var inte Hermansson syster med Intendentens fru, försökte Berta flika in.

- Jo, det klingar något sådant i mina hjärnvindlingar också..., höll Adam med om.

- Men vad är det då som Jakob Fender vill veta? Kan det ha något att göra med deras flykt den där kvällen eller finns det något annat.., började Helga med att säga när hon kom på det, Luntan. När Helga skrek ut det ordet, hoppade de andra till där de stod.

- Luntan, vad har den med det här att göra?

- Ville sa till Intendenten att han skulle vara väldigt noga med den och skydda sina papper mycket väl. I ett bankfack eller liknande, det kommer jag ihåg, poängterade Helga bestämt.

- Inte är den där Jakob ute efter den så här långt efteråt eller? Hugo kände sig en aning vilsen, men ville inte erkänna det.

Det blev inget mer sagt om detta den här kvällen men det kommer väl fler kvällar, kan jag tro. Men Båstad hade problem att hitta denna Fender, dessvärre fanns det inte något rum 404 på Stadshotellet.

- Hej, jag söker en Jakob Fender på rum 404? Kan ni ringa upp honom? frågade Båstad receptionisten.

- Tyvärr, vi har inte högre nummer än 49 och för närvarande ingen Fender, svarade receptionisten.

- Vad är det här…? kunde Båstad inte låta bli att säga till receptionisten med viss förundran.

- Tyvärr, har vi ingen Fender men vi har en Jakob på rum 44. Kan det vara honom som ni söker?

- Vet inte, men ring upp honom… Båstad tänkte att man kan ju alltid försöka, det kan ju inte bli mer än fel.

- Jakob här, hördes en röst säga från luren.

- Båstad på denna sida om tråden. Har du varit på bilutställningen idag vid Gasklockorna?

- Ja, är det om Saaben…

- Är det Fender jag talar med? kom det lite bryskt från Båstad.

- Okey, jag förstår men det var bara en liten åtgärd. Men jag vet å andra sidan inte hur mycket ni vet…

- Om vadå?

- Var Saaben där den 25/5 82?

- Var då? Saaben var utlånad till Ville vid ett datum 25/5 men det finns ingen anteckning om år eller var den hade kört för väg. Det är allt vi har fått fram.

- Puh, var det enda Båstad hörde när mannen ringde av.

Båstad tittade lite dumt på telefonen och i hans huvud dök det upp många frågor. Till receptionisten frågade han en aning undrande...

- Vem var det där?

- Få se... i liggaren står det Jakob Herm... det är allt, upplyste hon vänligt till den fundersamma Båstad.

- Tack, och med det gick han sin väg för att se hur Tango hade det i sin sjuksäng.

När morgonen grydde så gick de allesammans iväg förutom Tango till Gasklockorna. Nu kände sig Båstad tvungen att berätta om vad som hände vid Stadshotellet...

- Jakob Herm... men har inte en Hermansson förekommit förut... kan det vara Jakob? funderade Agneta högt.

- Du menar att han ska ha förkortat sitt efternamn... undrade Båstad.

- Eller förlängt? fyllde Benneth i.

- Hade han inte en syster..? frågade Agneta tankfullt.

- Jo, sa de båda två.

- Jag tror att det var så i alla fall... fyllde Benneth i med.

- Herm... Herm... arbetade inte hon vid teatern som sminkös?

- Vem tänker du på? frågade Båstad nyfiket.

- Det har funnits en som heter Ann Herm, men är hon släkt med Hermansson? spekulerade Agneta lite för sig själv.

- Vet inte... sa Båstad och ryckte på sina axlar.

Med dessa frågor började den andra utställningsdagen utan Tango som låg på hotellet i influensa, uppbackad av hotellets kvinnliga förmågor. Så utan Tangos närvaro flöt dagarna fram med utställningen, men Hermanssonfrågan verkade inte komma längre. De gamla bilarna i Dahls lada på Berget hade däremot en annan liten tanke om det...

- Jaså, inte det men om de bara kunde fråga mig så kanske de fick veta, yttrade sig läkarbilen Orvar som stod uppstallad i Dahls lada i väntan på att få köra in i det nya bilmuséet.

- Jaså, hur kan du veta något om det? undrade en av de "nya" bilarna, närmare bestämt polisbilen Jenny.

- Jag var ofta över till Intendenten med min läkare och då såg jag och hörde för den delen ett och annat, tillade han försiktigt.

- Det där ett och annat vad är det mera exakt... frustade Jenny till och försökte maka sig lite närmare för att höra bättre.

- Oj, oj, oj... måste jag ta det nu, försökte Orvar att slingra sig undan med.

- Få se vad är det som Helga brukar säga... började Mariana med att säga men här kom Grålle henne till hjälp.

- Säger man A får man lov till att säga B... eller något sådant skulle jag tro att det var,

- Just det, så sätt igång nu, Orvar... skrattade Vegas.

- Exakt vad jag skulle säga, intygade Madame Louise.

- Alldeles riktigt så sätt igång nu... tyckte även Starwar.

- Men... kan vi inte ta det en annan gång, försökte Orvar med.

- Vad är det som är så besvärligt? undrade Mariana.

- Jag är inte van vid åhörare...

- Vi ska inte äta upp dig, bara lyssna... vi ska inte säga ett pip om det så tar hundra år..., kläckte Jenny ur sig.

- Hm, det där får stå för dig men jag går inte i god för det... kom det snabbt från både Vegas och Madame Louise.

- Det här börjar bli långrandigt..., yttrade sig Alfred som tyckte att nu får ni väl ändå ge er, låt karln berätta sin lilla historia nu utan avbrott från vissa personer.

- Om jag börjar då... När läkaren Ohlsson och Intendenten träffades så brukade frun alltid ordna med något gott...

- Som vadå? inflikade Mariana.

- Tyst med dig..., hörde man Alfred säga till Mariana.

- Frun hade ett krångligt förnamn men det namn som användes, kommer jag ihåg Ann Herm. Senare kom också hennes äldre bror Jacob dit och för att ingen skulle förstå att de var släkt, sa man bara Hermansson till honom. Att de kom att heta Herm är en knepig historia...

- Ja och... försökte Mariana uppmuntra Orvar med.

- De hade ett tyskt namn men ingen ville säga det och när Hermanssons far och mor flydde från Berget så... De behövde byta namn och de tog bara ett... Jag tror de tittade på en karta och lät fingret bara peka ut nåt bra ställe, eller hur det var. Sen tog de den franska delen Herm som sitt efternamn. Men jag tror ändå att den delen hade en betydelse för släkten... ja, det var väl allt. Med det så avslutade Orvar sin lilla berättelse om Hermansson eller Jakob Herm eller... vad det nu kan vara?

- Det där lät lite kryptiskt... tycker i alla fall jag, kom det bestämt från Jenny, polisbilen.

- Må vara, men vi lär nog inte få något mer ur Orvar idag, var det en förnuftig bil som sa samtidigt som han kom insmygande i ladan.

- Grålle så du har hittat hit... sa Charleston glatt.

- Hm ja och nej, men det var något som behövde åtgärdas i ladan som vi stod i igår. Direktören hann inte flytta alla bilarna igår kväll, upplyste Grålle till de andra bilarna. Vart Blåvinge tog vägen vet jag inte... men någonstans mäste de ha ställt han eftersom han inte är här...

- Säkert Krattan, skrattade Jenny.

- Spydigheter tål jag inte Jenny så håll dig till Grålle du, kom det i en hårdare ton från Alfred.

- Förlåt, farsan Alfred.

Vi låter bilarna vara ifred med sin lilla pajkastningslek som Jenny startade i ett försök att rycka upp stämningen en aning och återgår till utställningen i Gävle. Tango har börjat komma på benen men influensan har tagit på hans krafter och röstresurserna är numera i en mer väsande form, så han får stanna på hotellet några dagar till.

Men Tango försökte ändå kraxa i väg några ord till en av hotellets trevliga och vänliga själar, som kom med en rykande het tomatsoppa till honom...

- Vill du... ställa ner den vid... fönstret... är du snäll?

- Jadå.., så Tango har kryat på sig lite det var väl roligt...

- Jo.

- Ska det vara kaffe på det här? undrade den vänliga själen från hotellet.

- Umpf... kaffe? sa Tango och tittade på henne med ögon som sa är du inte riktigt klok eller...

- Nähej inte det då... ha ha ha, var det enda hon sa och lämnade rummet skrattande.

Kaffe, hur i allvärlden kan hon bara tänka den tanken..., tänkte Tango för sig själv. Sist jag försökte dricka eländet smakade det hutlöst illa. Någon större längtan efter den svarta drycken har jag tyvärr inte, men kanske thé...

- Får det vara lite glass till herrn i sjuksängen...? frågade den vänliga själen som stod i dörröppningen till rummet.

- Emma, ja tack... hackade Tango fram.

- Var tomatsoppan god?

- Ja, den slank ner...

- Den där utställningen som ni har vid gasklockorna, jag var dit..., här visste Emma inte riktigt hur hon skulle fortsätta.

- Och...

- När jag läste om Hendenberg och Dahls bilar... Min mors släkt kommer från en av Hendenberg och hon har släktforskat en del... Allt som allt, så har jag en släkttavla om dem där hemma...

- Det vore kanske någonting att titta på... är det så du menar.

- Ja, men du kanske ska bli lite starkare och friskare innan vi går vidare med det...

- Kanske... Jag säger till Agneta om släktträdet, alltså.., med det vinkade Tango adjö till Emma som passade på att smita ut.

Efter att Emma lämnat Tango tog han till sig sin mobil och skickade ett sms till Agneta, för att delge henne den intressanta nyheten om Emmas släktträd. På vilket sätt hon var släkt med Hendenberg visste Tango inte riktigt. Dagarna gick och Agneta fick tillgång till släktträdet, men hon anade nog att en spirande romans börjat gro mellan Tango och Emma. Mot slutet av veckan kom även Tango ut till gasklockorna för att se hur utställningen tog sig ut. En sak man diskuterade var vilken sträcka som tävlingen skulle ha, det var flera förslag som kom fram... Men slutligen blev det en bana som gick mellan gasklockorna som i en åtta.

Antalet anmälda till tävlingarna var 16 killar och tjejer, uppdelade i klasserna 10, 11a, 11b, 12. Alla klasserna var mixade där grabbar och tjejer tävlade i samma lag. Lördag förmiddag kom med strålande sol när den första klassen startade för att köra sin runda klockan 10.00. Sen fortsatte klasserna att köra med 30 minuters mellanrum. När klockan var 13.00 kunde man sen redovisa vilka som skulle komma att köra i finalen. Finalen hade man lagt på eftermiddagen och bestämt att den skulle köras 14.00, de som kommit till finalen var; Rut, Anders, Tomik och Ismal. De ställde upp sig och så körde de iväg och fram till den första gasklockan var de lika. Efter att ha rundat den första gasklockan drog Tomik och Ismal iväg. Vid den större gasklockan körde Ismal om Tomik och kom så först fram till slutmålet. Vinnaren vid dagens tävlingar blev Ismal och Tomik kom på en hedrande andra plats. De andra två Rut och Anders fick dela på tredjeplaceringen. Efter tävlingarna började man så att plocka ner tävlingsbanan för att lasta in den i Toby. Tango som inte var riktigt stark än började med att plocka ner utställningen för att sen låta Båstad lasta in den.

Mellan Emma och Tango spirade det en rosa tråd, de kände det båda två men ingen ville säga det till den andra. De hade lämnat sina mobilnummer till varandra och bägge hoppades att få höra några ord från den andre... frågan var vem skulle ta det första steget?

Agneta satt i sitt hotellrum och iakttog släktträdet, hon försökte få ihop det med det som hon redan visste men det var inte lätt... Innan hon hade hunnit få ordning på trädet kom Benneth in i rummet...

- Du..., började Benneth men kom av sig när han såg släktträdet. Min farmor hade en tvillingsyster, hon hette Petra...

- Ville du något särskilt...?

- Jo... nej egentligen tänkte jag bara fråga om damen kände för en Tango?

- Du menar väl inte att Tango tänker dansa nu...

- Jo, med Emma...

- Det vill jag se... kom, så tog Agneta tag om Benneth och slet honom med sig ner till baren.

Från receptionen kunde man höra att de redan hade börjat spela upp en tango. Ute på golvet fick man se Tango föra Emma som inte var lika bekant med den argentinska tangon. De var inte ensamma på dansgolvet, även Agneta hade grabbat tag i Båstad, som visat att även han kunde dansa tango fast kanske inte lika bra.

- Jaha, och vad ska jag göra då...? kom det från Benneth som kände sig något övergiven.

- En dans med mig, kanske...? frågande en dam i närheten.

- Kanske det... med det svaret så gled de ut på golvet för att ta sig en svängom.

Resan mot Falun

Allt var klappat och klart för avfärden från Gävle men ändå så dröjde det… Det här var inte brukligt men hur ska Toby kunna få dessa fårskallar att förstå det… Vad är det med dem, egentligen? Sådana här grejer brukar komma om våren när känslorna pyr lite var stans men nu…

- Är alla klara…? ropade Båstad för att uppmärsamma de två, Tango och Agneta om att nu var det dags att ge sig av.

- Jag måste sticka nu, Emma… men jag ringer när vi har kommit fram till Lugnet… Hejdå så länge i fem minuter ungefär… när Tango hade sagt det stängde han av telefonen och gick mot Toby.

- Jaha det är så dags nu…, grymtade Båstad.

- Bättre sent än aldrig… skämtade Tango till Båstad som tyckte att det fanns gränser för stolligheter.

- Har Agneta och Benneth hunnit bli klara för avfärd? Frågade Tango av nästan ren artighet fast han viste mycket väl hur det landet låg.

- Hum, har inte sett någon av dem sen igår kväll… Men det är ju Agneta som ska checka ut oss, så det får de väl göra då. Nu sticker vi…

- Jaha är det så surt idag…

- Mycket…

- Vänta…, ropade Benneth.

- Jaså nu är det dags för turturduvorna att komma… var den enda kommentaren Båstad orkade med att ge.

- Vi bråkar inte nu om det… utan sätt igång och kör iväg. Vi kommer ikapp… började Agneta med att säga.

- Det är jag som kör…, poängterade Benneth.

- Visst… med det så tittade Agneta upp på den molnfria himlen och log sen lite retsamt mot Benneth.

Men det slutade i alla fall med att de körde iväg från hotellet och lämnade Gävle bakom sig. Destinationen för denna resa var Lugnet i Falun och resan började med att stämningen var något tryckt. Tango försökte rycka upp det hela men om det skulle lyckas var inte säkert…

- Hur gick det hos advokaten då? började Tango lite trevande.

- Fick ett antal papper som ska skrivas under… och kan du tänka dig exfrun vill skriva firman på mig?

- En oväntad vändning…?

- Ja, hur kan hon göra det… Den fick hon ärva efter sin far och jag har bara kört… hon har en bror som kanske vill ta över eller någon av hennes barn kanske… nej de är för unga än, jag vet inte men det är någe lurt… och…

- Du gillar inte när det är någe lurt… fyllde Tango i skrattande.

- Det är inget att skratta åt. Men om hon och den där advokaten tror att jag tänker ta över firman, då tror de fel.

- Du har Vilde att tänka på…

- Det är det jag gör, jag tänker inte flänga runt i världen nu… Jag har bestämt mig för att slå ner mina bopålar där i Grängesberg, kanske…, kom det lite försiktigare från Båstad som kommit upp i varv.

- Hur hade du tänkt med försörjningen då? undrade Tango lite försynt.

- Alltid finns det väl någe jobb för en långtradarchaffis, men ett busskort skulle jag väl kunna ordna… Det verkar som det är ont om busschaufförer där borta… Nått kan man väl hitta på. Annars vore det inte så dumt med lite semester… jag har en del att ta ut från firman.

- Aha, hur mycket?

- Det är väl… få se, här knappade han in på datorn och fick fram…, sex veckor… opps.

- Skapligt...

Hur det blir med den saken får väl framtiden utvisa, Båstad. Lång-tradaren svängde in till Lugnet och parkerade sig vid hallen där utställningen skulle komma att vara. Båstad och Tango hoppade ut från Toby och gick för att öppna dörrarna...

- Jaha, ska vi börja lasta av då?

- Hej, är det ni som ska vara här för veteranutställningen? frågade en ung hallskötare vid Lugnet.

- Vi ska vara här ja... Är det några problem? frågade Båstad och undrade vad den unga mannen hade på hjärtat.

- Problem och problem..., kom det lite svävande, vi väntade er inte förrän om några timmar... tre för att vara exakt. Det är folk där och de som ska städa har inte fått komma in till hallen för att göra det än så...

- Varför inte det då?

- Vi kan väl säga att en olycka har inträffat, så länge...

- Nehej du fram med det nu. Vad har hänt? uppmanade Båstad till hallskötaren.

- Kan jag inte... för jag vet inte exakt vad det är som har hänt. Polisen är där inne och håller på, så ni lär få dröja lite... Ni kanske vill besöka vår cafeteria så länge... försökte han släta över med.

- Det skulle vi väl kunna göra..., sa Tango och tittade på Båstad, vi behöver i vilket fall som helst meddela Agneta och Benneth om det hela.

- Det har du rätt i... okey, visa oss vägen..., var det enda Båstad sa till hallskötaren.

De började så gå mot Lugnets cafeteria och när de väl var där, pass-ade Tango på att fråga om vad det är som egentligen står på?

- Vet ni inte det? kontrade kassören.

- Nej, annars hade jag väl inte frågat?

- Det är en som har dött där nere i hallen... Jag vet inte hur...

men tjejen bara kollapsade… vi vet inte riktigt vad som har hänt. Varsågod, din växel…

- Jaha, tack…, Vad är det här egentligen? undrade en förvånad Tango lite för sig själv.

- Har du fått veta nått? kunde Båstad inte låta bli att fråga när Tango satte sig vid bordet.

- Bara att en tjej kollapsat i hallen här…

- Jaha, men vad jag kunde förstå ska vi vara i den andra… så varför kan vi inte komma in där?

- Vet inte… om det inte är så att det är någonting som polisen inte vill yppa eller ska komma ut… jag vet inte. Vi får väl se när Agneta och Benneth dyker upp hur vi ska göra, men vi sitter väl inte i sjön eller…

- Nej vi gör väl inte det… Det är bara olustigt, ville Båstad poängtera för Tango.

Under tiden som de inväntar Agneta och Benneth för att konferera om vad de ska göra, så kan vi höra efter vad det tisslas och tasslas om i Toby…

- Jaså, de har fått tag på släktträd över de båda familjerna… det här kan bli intressant, hörde man Adam säga i en ton som fick Berta att fundera på hur det stod till…

- Intressant…? Hur kan de här träden vara intressanta, om jag får fråga? frågade Berta.

- Det skulle vi andra också vilja veta… kom det från lådbilarna. Vad Helga och Hugo tänkte om den här saken, kom inte fram vid detta tillfälle.

- Jo, mina vänner, började Adam något högtravande, som vi andra vet så har funderingar och spekulationer förekommit om varför just vi är på Bergets Bilmuseum. Frågan är hur hamnade vi där? När Bilarna sen berättat om sin historia har det kommit fram att vi måste ha någon gemensam nämnare som letat upp oss och sett till…, här blev Adam avbruten av Hugo.

- Jaja, men du behöver inte vara så överlägsen i din ton Adam.

Vi vet eller vi har förstått att någon person som vi inte haft någon tidigare beröring med är den som legat bakom insamlandet av bilar och historia. Vi vet att Rauds fru har gjort mycket i den riktningen, men vad har hon med den här släkten att göra? Vem mer finns där i kulisserna? Jag vet inget med säkerhet men direktören Cecil måste nog ha nån slev med i grytan, tror jag i alla fall, sa Hugo lite skarpt.

- Men från vilken släktlinje kommer han...? Om han nu är släkt...? började Helga lite tvivlande.

- Hur menar du? Det är klart han är släkt... hans efternamn är Dahl, protesterade Adam.

- Ähum..., kom det lite tvivlande från Hugo.

- Prata ur skägget... uppmanade Berta innan Sissi hann ta en ton.

- Jag vill bara påminna om att Dahl blev påtvingad att adoptera två söner..., kom det försiktigt från Hugo.

- Åhå, började Bosse med innan han högtravande fortsatte. Därför är de i den biologiska meningen inte släkt...

- Inte du också... kom det något tröttsamt från Anna.

- Ja ja, jag skulle tro att det är från den sidan men ändå..., här visste Adam inte riktigt hur han skulle fortsätta så det blev ett litet uppehåll.

Det fick det bli ändå för nu hade man konfererat klart om vad som skulle hända på Lugnet. Det ända de kunde göra nu var att dricka upp sitt kaffe och äta upp de beställda ostfrallorna för att gå iväg till Toby. De intog sina platser i Toby för att köra i väg till Folkets park i Grängesberg.

- Det blir inget här på Lugnet, började Benneth att säga när han telefonerade till Cecil, det har hänt något tragiskt. Så vi får inte komma in i hallen förrän de har kartlagt vad som faktiskt har hänt... Mer än så vet jag inte, men vi kör vidare till Gränges.

- Okey, då får vi se till att Folkets park blir klar då..., var det enda Cecil sa innan han skickade över mobilen till Leif.

144

- Hej, jo bilarna kommer att få en bekant med sig, Blåvinge. Vi har rustat upp honom och tagit bort de förlängda vingarna så att han återfått sin ursprungliga form. Du kan hälsa Båstad att det är en gammal bekant som väntar på honom i Folkets park.

Entrén till Grängesbergs Folkets park

Det händer i parken...

När nu Toby närmade sig slutstationen för den långa resan, kände man att det var med en förväntan men kanske inte bara det. Det var något annat som låg i luften, kanske var det en frustration eller... Men det var något som låg och pyrde där bland bilarna. Det var inte bara de som kom till Berget med både förväntan och undran, för som sagt det hade varit en resa på flera plan.

Långtradaren svängde upp vid Folkets Park där det skulle ställas upp för den sista utställningen, vi kanske ska skriva det inom parentes för säkerhets skull. Man kan aldrig så noga veta vad framtiden har med sig i sitt sköte. Den första som hoppade ut från Toby var Båstad och han gick snabbt och effektivt fram för att påbörja avlastningen av bilarna samtidigt som han muttrande för sig själv.

- Vad säger du för någe? undrade Tango som kom traskandes efter honom.

- Jag bara konstaterade att resan kunde ha blivit längre...

- Visst, men du kan ju inkassera lönen och åka ner till Båstad för att ordna med flytten?

- Visst, men jag behöver någonstans att flytta till bara...

- Ett ögonblick mina herrar, men kan någon av er tala om när utställningen ska börja? undrade en dam i 40-årsåldern.

- Den börjar imorgon när portarna öppnas vid 10-tiden och lådbilsrallyt startar vid ett, beroende på hur många som ska köra, så kan det kanske ta 1,5 – 2 timmar, upplyste Båstad henne.

- Tack så mycket.

- Okey, då lastar vi av bilarna då och ställer in dem i rotundran, sa Benneth, när han kom fram till den lilla gruppen.

- Båstad, kan du hugga i här... ropade Tango.

- Förlåt, sa damen i 40-årsåldern, men vem är Båstad? Jag behöver prata med honom om en sak...

- Det är han som du frågade förut, kom det bryskt från Benneth.

- Jaså, men så bra... Båstad, jag vill fråga dig om Vilde...

- Kan vi ta det lite senare... om en timme vid rotundran? föreslog Båstad.

- Visst, det går bra..., Britta heter jag..., om du tycker att det blir bättre när vi använder våra namn.

- Naturligtvis, Britta. Pedro är namnet annars men de flesta kallar mig för Båstad..., av någon anledning blev Båstad lite röd på kinden. Det kanske var någon kall vind som nöp till eller kan det vara någon annan sorts vind som gav Båstad ett tjuvnyp.

- Tack så mycket.

- Okey, då lastar vi av bilarna då och fraktar in dem i rotundran, sa Benneth, när han kom fram till den lilla gruppen.

Under tiden får vi lyssna till vad de andra bilarna tycker om att få komma hem till sina trakter efter den långa resan eller... Det verkar som att det är något ändå som ligger och pyr där bland bilarna.

- Helga det ska bli skönt att få komma ut och röra på sig lite, tyckte Hugo.

- Bara nu Adam och Berta kan hålla sams, kom det fundersamt från Helga.

- Varför skulle de inte kunna det? Vi är ju äntligen på hemmaplan. Kommer du ihåg när vi körde hit med familjerna? Helga, den gången vi rockade loss kommer du ihåg det?

- Vem var det som spelade då? Vi var ju här ganska flitigt emellanåt...

- Jaha ska ni hålla på med erat nostalgipussel så låt inte mig störa, gå på ni bara, bry er inte om mig. Med det så rullade Berta iväg med motorhuven lite hängande, man skulle nästa kunna ana att en tår glittrade till i vänster framljus.

- Jaha, här kommer Adam, vad har du nu gjort ? undrade Helga.

- Jag har bara haft ett litet resonemang med Berta och valparna om vad som gäller vid detta stopp, kom det lite stolt från Adam.

- Resonemang, inbegriper att flera får säga sitt och att man tar det som sägs i beaktande. Vad jag kommer ihåg var det bara du som talade och dikterade, kom det från Bosse.

- Vi har verkligen försökt att bryta av men på det örat lyssnade inte Adam, han är i stort behov av en hörapparat, fnyste Anna som tröttnat på Adams fasoner.

- Oj, var det så illa, inte undra på att Berta såg ledsen ut, kom det betänksamt från Helga. Hugo, det kan inte fortsätta så här vad ska vi göra?

- Tja, vad kan vi göra? replikerade Hugo, vi har haft det här på tapeten förut, vill jag minnas.

Här blev bilarna avbrutna av att Agneta kom utspringandes från rotundran till Toby…

- Vad bra. Jag ser att Blåvinge redan är på plats då kan vi köra in de resterande bilarna i rotundran, sa Agneta till de som stod vid Toby.

När bilarna kom in i rotundran en efter en, upptäckte de att Blåvinge stod där…

- Vad är det för en bil som står där borta…? undrade Sissi lite förvånat.

- Det ser ut som… kan det verkligen vara.., hackande Adam fram något besvärat.

- Vadå…? frågade Todd.

- Jaha Adam vad säger du nu då? undrade Berta.

- Det här var inte bra.

- Varför det? kom det från den frågvisa Sissi.

- Det har ni valpar inget med att göra, snäste Adam av.

- Det har vi vist om du tänker göra vår vistelse här otrevlig bara för att en ”bekant” uppenbarade sig lite olämpligt, kom det lite hårt från Todd.

- Bekant och bekant, men Blåvinge köpte George för att ersätta MIG kan ni tänka er det. Här hade man kört människan över land och hav, stått ut med den ena påfrestningen efter den andra och så blir man dumpad av den där..., saken, frustade Adam.

- Åh ja, det var väl inte mitt fel att George behövde en bil..., tyckte Blåvinge.

- Här får jag hålla med dig Blåvinge. Det måste ha varit besvärligt för honom att inte ha någon bil i Buenos Aires, tycke Berta.

- Han hade mig, kom det kort ifrån Adam.

- Hm hm, det hade han egentligen inte eftersom du användes som firmabil och Georges fru var inte glad för det, upplyste Blåvinge lite försynt.

- Får man komma med en fråga, undrade Todd.

- Varsågod, svarade Blåvinge.

- Hur kommer det sig att ni känner varandra?

- När George åkte runt för att hitta en större bil för att frakta varor i kom han till den bilfirma där jag stod för att titta. Vid det här tillfället hade han sin fru med sig och om man får pråla lite, så blev det förälskelse vid fösta ögonkastet. Hon körde mig från firman och George körde hem i Adam här, senare åkte de tillbaka för att hämta Delta och efter den resan kom jag att användas i familjens tjänst, förklarade Blåvinge.

- Jaha, så det är därför Adam inte gillar att Blåvinge finns här. Han tog din plats som familjens bil och charmade frun, kunde Berta inte låta bli att säga eftersom hon visste att Adam ansåg sig som Bilarnas Casanova. Ha.

- Berta, vad menar du med ha? undrade Blåvinge.

- Jo, enligt Adam har ingen annan bil hans charm och amerikanska pondus eftersom han har varit utomlands, jo jag tackar jag. Men nu är han inte den enda bilen som rullat runt på denna jord, avslutade Berta som var trött på Adams bullshit.

- Är det säkert att det bara är det som spökar? undrade Blåvinge för han kunde inte förstå varför denna snygging var så upprörd.

- Adam har varit besvärlig under hela vår resa, mer eller mindre, runt om i Sverige, men nu har den där droppen som fick bägaren att rinna över fallit, talade Anna om.

- Då kanske vi ska pigga upp henne. Får jag lov? frågade Blåvinge till Berta.

Innan Berta han svara körde Adam fram och gick emellan för som sagt, han ansåg ju Berta som sin kamrat. Men nu blev det fart på lådbilarna för även dem hade fått nog av Adams fasoner.

- Vad håller ni på med? Jag måste hjälpa Berta så hon inte kommer i olämpliga händer .., försökte Adam att försvara sig med.

- Jaså, du tror inte att hon kan det själv då. Kom igen Anna, Sissi och Bosse, upp på bakhjulen och så ruskar vi rumpa, boxa, boxa, ruska rumpa, boxa, boxa, kom ihåg att hålla takten, fortsatte Todd.

Lådbilarna stod i en halvmåne framför Adam och drev honom bakåt, samtidigt som de andra inte kunde låta bli att skratta. Det såg så roligt ut när lådbilarna ruskade rumpa, och boxade. När fältet blev fritt bjöd Blåvinge upp Berta till en stilla dans i rotundran och Hugo var inte sen att följa efter utan han bjöd upp Helga.

När morgonen kom hade kvällens oväder stillat av i rotundran och Tango som var en morgonpigg person tittade till bilarna. Efter den översynen gick han för att väcka upp Båstad, de måste ju lägga ut banan till racet och ställa iordning för utställningen. Sen var det en presentation av nya Bergets bilmuseum och den såg han framemot med spänning.

När klockan närmade sig 10 började folk strömma till parken för att se bilarna och utställningen. Många ville veta hur rundresan hade varit, om den gått bra eller inte. För innan resan visste man ju inte riktigt säkert hur utställningarna skulle tas emot av besökarna.

Det var många frågor som behövde ett svar som, hur har det gått med olyckan på Lugnet i Falun? Utredningen som gjordes under resan skulle den redovisas nu? Hur skulle presentationen på nya Bergets Bilmuseum se ut? Hade det kommit nya bilar? Hur många skulle ingå i lådbilsracet?

- Leif, har du läst morgontidningen? frågade hans fru vid frukosten.

- MMM

- Svara, människa. Har du läst...

- Nej.

- Det står om olyckan på Lugnet...

- Ge hit tidningen då, så jag får läsa den, efter frukosten. Längre än så hann inte Leif förrän mobilen skrällde till...

- Det är tydligen fler som läst morgontidningen..., påpekade Leifs fru lite retsamt.

- Kanske, kanske inte... Morrn, vad gäller saken?

- Har du läst..., började Benneth men kom inte längre.

- Nej, jag har inte läst morgontidningen och inte om olyckan på Lugnet. Ring, mig efter kaffet, så kanske jag hunnit med det...

- Har du läst utställningsrapporten som Agnetha skrivit?

- Ja, det gjorde jag igår kväll. Vi får resonera om det efter lådbilstävlingarna, du får tala om det för Agneta och Cecil. Vi kanske ska berätta det för Båstad och Tango också eller vad säger du?

- Det kan vara bra med deras tanke om det hela... Vi träffas sen då, tjing så länge.

- Tjing.

Benneth framförde till alla inblandade om att de skulle träffas för att diskutera rundresan efter racet.

- Hur långt efter racet? undrade Båstad för han hade ett annat möte som var viktigt. Han skulle träffa Britta...

- Det är inte bestämt än men det behöver inte inkräkta på mötet med Britta..., med det så log Benneth lite åt Båstad.

- Ja än sen, men det är det att jag aldrig gått på nån föräldraträff eller haft nått med skolgångsgrejor att göra..., försökte Båstad att slingra sig med.

- Båstad, sa Tango lite tyst och med en aning retsam ton, Britta är snygg va?

- Äsch, vi har saker att diskutera som rör Vilde, det är bara det…, med det fick Tango nöja sig med.

- Ok Båstad, men bli inte för rosenröd bara…, kunde Tango inte låta bli att säga till sin mentor.

- Hm förresten hur går det med Emma…, kastade Benneth fram som stått tyst en stund.

- Herre gud jag skulle ha ringt henne för länge sen… Kan man skylla på olyckan och det kaoset? Här blev Tango orolig för inom sig kände han att det var nog inte helt säkert att hon skulle ta det som en ursäkt… men kanske.

- Dra inte ut på det... och Tango, börja med att be om ursäkt för att du inte har ringt som du sa att du skulle göra. Det är ett råd från en som varit med ett tag, grabben.

- Ok, efter mötet…, började Tango med att säga men blev avbruten av Benneth.

- Testa nu istället…, vi kan nog avvara dig i fem minuter, eller hur Båstad?

- Tango, stick iväg och ring, uppmanade Båstad.

Tango gick iväg för att leta upp sin mobil och ringa Emma, som hade väntat på hans signal. Emma hade i sin tur konfererat med sin mor om hon skulle ringa upp eller inte, något som hennes mor avrådde med bestämdhet. Vad Tango diskuterade med Emma om utelämnar vi här. Men när Tango gick upp till rotundan var det med ett lättare hjärta får man förmoda, då han kom tillbaka med ett leende.

- Hur gick det? undrade Båstad.

- Emma hade läst om olyckan och hört på radion om att det hade hänt något vid Lugnet. Så hon förstod att i den villervallan inte var det första jag tänkte på…, men jag vet inte… borde jag inte det… menar jag, försökte Tango förklara sig.

- Hurså? Vid olyckstillfällen reagerar vi olika, och tänk efter vem skulle du ha tänkt på att ringa först? Vilka ringde du?

- De i Ljusdal och Agneta.

- Familjen och det som rör jobbet.

- Är Emma inte involverad i familjen än?

- Nej.

- Kommer hon att bli det?

- Så långt har vi inte kommit... än. Vid denna lilla frågeställningskommers från Båstad skruvade sig Tango en aning.

Efter denna utfrågning gick de runt i Folkets park och såg utställningen om deras rundresa, för de hade tagit många foton under resan, som nu visades upp. Det var några tidningar som hade skrivit om resan och bilutställningen, men även om lådbilstävlingarna. En av dessa nämnde utredningen som gjordes under resan.

Nu började deltagarna i lådbilstävlingen att göra sig i ordning. När startskottet gick körde de så iväg, Sissi, Todd, Anna och Bosse med sina respektive förare.

- Jaha, vem tror du tar hem det idag? frågade en åskådare när han vände sig till Båstad.

- Tja, det är inte så lätt att veta. Men jag för min del tror nog på Sissi, den bilen har lite mer krut i sig för närvarande.

- Hur menar du? frågade han vidare.

- Alla bilarna har skador att dras med, men Sissi har klarat sig bäst i det fallet. Visserligen har den bilen inte vunnit alla gångerna, men som sagt en hel del ligger även på de unga förarna. Om Båstad hade vetat att åskådaren var en pensionerad journalist, kanske han inte sagt lika mycket.

- Då håller jag på Sissi då, sa den pensionerade journalisten. Till sin bekant som var med honom sa han bara "Sätt en tia på Sissi."

- Vänta lite…, inte visste jag att en vadslagning om vilken som vinner var igång…

- Ska du vara med…

- Nej absolut inte, men det här måste Benneth få veta om…

efter det grabbade Båstad mobilen och ringde till Benneth i akt och mening, att rapportera den uppkomna situationen.

Under tiden som Båstad talade med Benneth om saken så händer det något på banan. Tävlingen var i full gång när en avåkning från banan plötsligt hände...

- Jaha där rök en favorit, Sissi. Det var synd för Erika har kört fint ända fram till kurvan, antagligen kom hon in lite för snabbt. Vi får väl reda på lite mer om vad som hände senare? Men annars får vi se om Todd kan ta ledningen framför Anna och Bosse, vi får se vad som kan hända efter kurvan. Då kommer en raksträcka där man kan stå på lite... men där går Anna om Todd i kurvan. Vad har hänt? Har Annas förare börjat köra för fullt nu eller har hon bara väntat in kurvan och tänkt stå på riktigt ordenligt på raksträckan in till mål. Det är tydligt för hon står på allt vad hon kan. De andra bilarna försöker hänga med men orkar inte riktigt fram... och där går Anna i mål, vi får gratulera Annas förare Jakob till vinsten.

- Jaha jag har besparat er en tia, konstaterade Båstad till den pensionerade journalisten.

- Tydligen... sa han och gick sin väg.

Men nu kom Britta fram till Båstad och man skulle tro att det kunde bli ett långt samtal, men nej det blev kort. Det enda Britta ville fråga Båstad, var om han kunde skriva på ett papper angående fritids. På fritids har man startat upp en amatörteatergrupp och eftersom Vilde är en kreativ människa skulle de vilja ha med honom där. Men som alltid med minderåriga behöver man föräldrarnas godkännande.

- Skulle Vilde kunna tänka sig att vara med i en amatörteatergrupp?

- Men fråga Vilde och skicka med ett papper så skriver jag på..., vill han så är jag inte emot det. Något annat...? frågade Båstad lite finurligt.

- Nej, inte för tillfället, men vi måste reda ut det här med Vilde innan terminen är slut. Hur ser det ut för dig i nästa vecka...?

- Jag vet inte exakt hur det ser ut men om jag kan maila dig så kanske vi kan komma fram till nått som passar…? En mailadress är alltid något, tänkte Båstad för sig själv.

- Visst, jag skriver ner den åt dig.

Efter den lilla konferensen sprang han över till Toby där de andra väntade på honom, för att få höra vad det var som mötet skulle handla om. Man skulle ha trott att det var stora saker men, nej…

- Från kommunchefen hörde jag att de vill att vi ordnar med en utställning om rundresan, men även att vi ska sätta oss ner och utvärdera den, började Agneta säga vid detta möte.

- Vad finns det att diskutera om den? kom det något protesterande från Båstad.

- Det finns väl inte så mycket att säga om den. Det var ömsom regn och sol… försökte Tango att lätta upp det hela med.

- Visserligen, men vad kan vi säga om resan som helhet då? frågade Agneta till den lilla gruppen.

- Ja, vad ska vi säga om det? Vi träffade på några sköna typer och fick med oss hem mer material till släktsammanställningen och till bilmuséet, som Moby till exempel, fylld Leif i med.

- Javisst och fotografierna från... Vad hette människan nu igen? med den frågan tittade Benneth runt i Toby, där man för tillfället ställt in några stolar och ett bord i långtradaren.

- Per tror jag det var, Benneth. Han skulle maila över fotografierna, men vi har inte fått några än, eller hur Cecil? frågade Agneta till Cecil som satt i sina egna tankar.

- Öh… nej.

- Har Cecil något mer än öh på hjärtat? kastade Tango fram.

- Var inte oförskämd, grabben. Fick ett sms från ett ställe om vi kunde komma dit till hösten nästa år? Jag visste inte om att vi skulle ta någon tur då så jag har inte svarat på sms:et. Men vi måste göra någon sammanställning av något slag som vi kan visa upp för kulturfolket i kommunen nästa vecka…

- Vadå för sammanställning? Hur då? Ska det bara vara en bildutställning eller är det frågan om en annan form eller vad? Det här ville inte Båstad vara med på för han skulle hem till sig.

- Båstad, var inte orolig du. Ni två som kört runt oss är anställda för en vecka till sen... tja det är upp till er. Ska vi köra runt till hösten får vi höra av oss då? undrade Agneta.

- Jag kan inte lova att nån av oss är lediga då, sa Tango till Agneta och Cecil.

- Det är för långt fram att bestämma om det nu, förresten vet vi inte om det blir någon rundresa till hösten.

- Men ska den här utställningen bara vara för dem på kommunhuset, ska inte alla få se den? frågade Leif för att få ett ordentligt svar från Cecil.

- Jo, de förordade faktiskt att vi på muséet kunde ha den stående där och då ta med utredningen som gjordes under resan. De tyckte vi kunde ha en hall för utställningar på ett av våningsplanen... Det var kommunchefen som föreslog det inte jag, försökte Cecil att skydda sig med när protester kom från Leif och Benneth.

- Men tänk efter, vad bra det vore. Vi kunde ha en utställning om bilarnas historia från 1800- och framåt, eller bara ett bilmärke, eller utdöda bilar och så framtidsbilen... Var det inte något sånt som skulle visas, Cecil? frågade Agneta.

- Jo, det är det..., mer ville Cecil inte säga om den saken.

- Ser man på det sättet, Agneta kanske det inte skulle vara så dumt..., här backade både Benneth och Leif från de tidigare protesterna.

Det hela slutade med att efter justeringar som gjorts i Agnetas rapport, godkände de alla det som Agneta skrivit och sände den till kulturchefen. De två som kuskat runt i Toby fick en välförtjänt semester, kan man väl säga. Båstad hade en del oklarheter att ordna, förutom att han skulle hitta någonstans att slå ner sina och Vildes bopålar. Förnärvarande fick de husera i ett av husen som stod på Cecils tomt där bodde även Raud och Liselotte. De tittade gärna till Vilde, som nu var engagerad i en amatörteatergrupp. Tango åkte hem för att packa sina väskor och flytta till Ljusdal, där den övriga familjen fanns. Om Emma följde efter dit, lär vi kanske inte få veta. Kommunchefen Salvador fick utredningen i sin hand, skickad från Lilian. Den av dem från utredningsgruppen hade äntligen fått ner några rader på ett papper. Salvador ringer upp Lilian…

- Var det här allt?

- Neej, men det skulle bli så krångligt om jag tog med allt i rapporten… Ville du ha med allt?

- Det behövs nog inte, utan det kan nog räcka för tillfället...

Snickarens gravkapell och utredningen

Antalet döda som hittades var fem, Sivert och Eivor Hendenberg, tvillingsonen Adolphe och hans medhjälpare Sture. Tillsammans med dem hittades en äldre man som visade sig vara Erich Dahl som enligt papperen varit försvunnen sen 20 april 1921. För övrigt den sista dagen som någon sett Eivor, Adolphe och Sture.

Efter att gruppen gått igenom alla papper kan man konstatera att mötet som Erich hade var i Snickarens gravkapell. Där avlossade han ett antal skott mot sin dotter och dotterson men även mot Sture. Därefter gick Erich ut i tunneln, men som Bjeres fru Emelie skrev i sin dagbok, tog han av åt fel håll och gick mot gruvgången.

När Erich kom ut från gången ramlade han ihop vid Travera, antagligen på grund av hans dåliga hjärta, där anträffades han senare av Bjere, Emelie och Agda, Erichs fru. De lyckades lyfta upp honom och med gemensamma krafter lägga honom i Travera som de rullade ner mot gravkapellet där de förseglade öppningen med en stor sten. Stenen hade en bild uthuggen, den kan ha föreställt Travera i forna tider, innan de byggde om bilen till en vagn för att passa i gruvgången.

Bilarna i Folkets park får lov till att stå kvar där då Cecils lada är full med bilar. Så de får härbärgeras där tills det blir dags att flytta in till det nya muséet. Vi får väl hoppas att en viss bil kan hålla sig i styr, i alla fall i några månader…?

- Berta hörde du, om några månader så kanske vi glider fram till Nya Bergets Bilmuséum, vad säger du om det? undrade en entusiastisk Adam som kände att nu var han ändå på mammas gata igen.

- Jaså… kom det trött från damen i fråga.

- Jamen Berta en Eriksgata för oss kan du väl inte stå emot eller… trevade Adam lite försiktigt.

- Vem är det nu som försöker charma sig in… skrattade Blåvinge en aning retsamt till Adam.

Vi får väl se vad som händer och sker…

Några sidor med förklarande innehåll och utgivna böcker

Släktregister

Hendenberg

Dahl

Bilarna

Böcker

Släktregister för Hendenberg

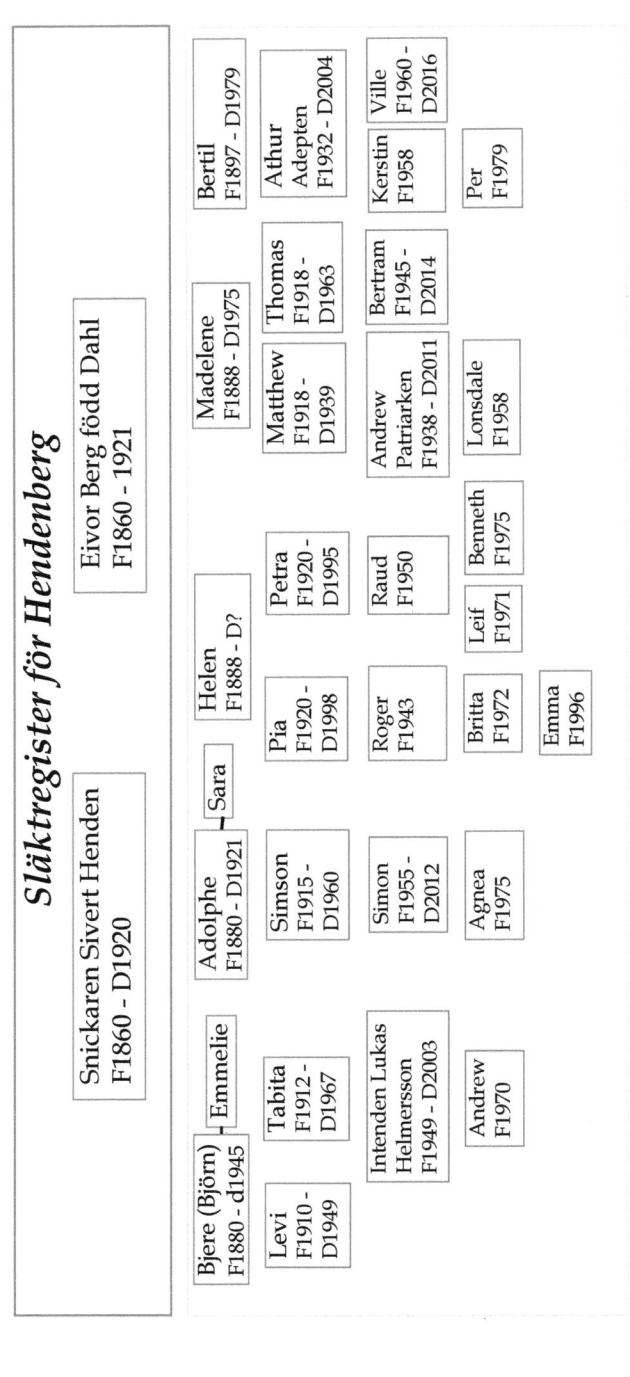

Snickaren Sivert Henden
F1860 - D1920

Eivor Berg född Dahl
F1860 - 1921

Bjere (Björn)
F1880 - d1945 — Emmelie

Adolphe
F1880 - D1921 — Sara

Helen
F1888 - D?

Madelene
F1888 - D1975

Bertil
F1897 - D1979

Levi
F1910 -
D1949

Tabita
F1912 -
D1967

Simson
F1915 -
D1960

Pia
F1920 -
D1998

Petra
F1920 -
D1995

Matthew
F1918 -
D1939

Thomas
F1918 -
D1963

Athur
Adepten
F1932 - D2004

Intenden Lukas
Helmersson
F1949 - D2003

Simon
F1955 -
D2012

Roger
F1943

Raud
F1950

Andrew
Patriarken
F1938 - D2011

Bertram
F1945 -
D2014

Kerstin
F1958

Ville
F1960 -
D2016

Andrew
F1970

Agnea
F1975

Britta
F1972

Leif
F1971

Benneth
F1975

Lonsdale
F1958

Per
F1979

Emma
F1996

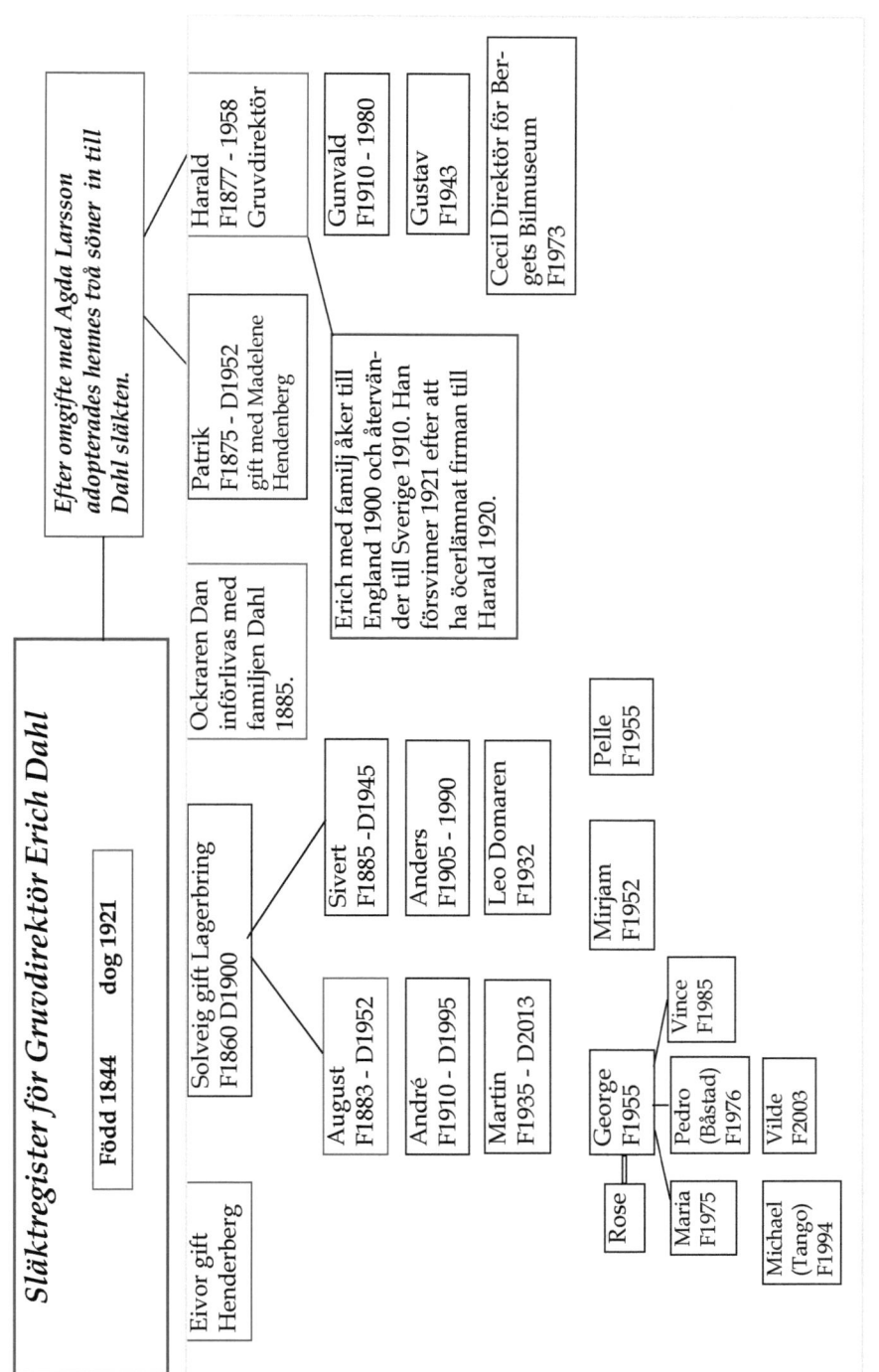

Släktregister för Gruvdirektör Erich Dahl

Född 1844   dog 1921

Efter omgifte med Agda Larsson adopterades hennes två söner in till Dahl släkten.

Eivor gift Henderberg

Solveig gift Lagerbring
F1860 D1900

Ockraren Dan införlivas med familjen Dahl 1885.

Patrik
F1875 - D1952
gift med Madelene Hendenberg

Harald
F1877 - 1958
Gruvdirektör

Erich med familj åker till England 1900 och återvänder till Sverige 1910. Han försvinner 1921 efter att ha överlämnat firman till Harald 1920.

Gunvald
F1910 - 1980

Gustav
F1943

Cecil Direktör för Bergets Bilmuseum
F1973

August
F1883 - D1952

Sivert
F1885 -D1945

André
F1910 - D1995

Anders
F1905 - 1990

Martin
F1935 - D2013

Leo Domaren
F1932

George
F1955

Mirjam
F1952

Pelle
F1955

Vince
F1985

Rose

Maria
F1975

Pedro (Båstad)
F1976

Vilde
F2003

Michael (Tango)
F1994

Bilgalleri

Huvudpersonerna
Helga Hugo Adam Berta
Långtradaren Toby

Valparna eller lådbilarna
Sissi Todd Anna Bosse

Bilar som dyker upp i berättelsen
Alfred Vegas Delta Mariana
Folke Charleston Grålle
Madame Louise Orvar Blåvinge
Jenny Starwar Tekla

Övriga fordon som dyker upp
Motorcykeln Moby Flygplanet Mozart

Tidigare utgivna böcker

Romaner

Deckare